Teacher's Guide

3

Rosi McNab

Heinemann Educational,
a division of Heinemann Publishers (Oxford) Ltd,
Halley Court, Jordan Hill, Oxford OX2 8EJ

OXFORD LONDON EDINBURGH
MADRID ATHENS BOLOGNA PARIS
MELBOURNE SYDNEY AUCKLAND SINGAPORE
TOKYO IBADAN NAIROBI HARARE
GABORONE PORTSMOUTH NH (USA)

First published 1994

Revised edition published 1995

97 96 95
10 9 8 7 6 5 4 3 2 1

A catalogue record is available for this book from the British Library
on request

ISBN 0 435 37468 0

Produced by **AMR** Ltd

Cover illustration by Chris Welch

Printed and bound in Newcastle-upon-Tyne
by Athenaeum Ltd

Contents

Introduction

Avantage 3 is the third part of a five-year French course for pupils aged 11 to 16. It is suitable for pupils of a wide range of ability and fully supports the teacher in assessing pupils' progress. The course adopts a communicative and active approach. Pupils learn through being given a range of tasks with a real purpose.

Avantage 3 revises and extends the topics and language of the first two books in new contexts and aims to consolidate pupils' knowledge. The focus of Book 3 is on the wider world and reflects the increasing maturity of the learners.

The components

Avantage 3 consists of:
Pupil's Book
Cassettes
Flashcards
Resource and Assessment File
Teacher's Guide
Colour Game Cards

Pupil's Book

Like Books 1 and 2, the **Pupil's Book** consists of six theme-based modules subdivided into double-page units. The units in each module are grouped in three 'cycles', the first two cycles ending with a Mini-test.

The third and last cycle of each module includes extension reading material.

The sixth module is optional. It involves an extended project in which pupils produce a newspaper, and it aims to provide something completely different for the end of the year.

At the back of the **Pupil's Book** there is a grammar summary, a comprehensive French-English wordlist, a shorter English-French wordlist and lists of key instructions and useful phrases used in the book, with their meanings.

Cassettes

There are four cassettes for *Avantage 3*. Cassettes A, B and C contain the core material for both presentation and practice. This includes dialogues, interviews, radio items, songs and poems. Cassette D contains listening material at reinforcement and extension levels for use with the differentiated worksheets *(Au choix)*. Multiple copies of this cassette may be made so that pupils can work autonomously.

Flashcards

There are 48 double-sided flashcards for presentation or practice of language. A complete list of the flashcards is given on page 8.

Resource and Assessment File

The **Resource and Assessment File** contains the following photocopiable resources:
• Support worksheets *(Feuilles de travail)*

These worksheets make the core material in the **Pupil's Book** accessible to less able pupils.
• Reinforcement and extension worksheets *(Au choix)*
  Worksheets for follow-up work at two levels. The worksheets provide practice in listening, speaking, reading and writing.
• Module word lists
  Lists of key words to aid revision. The sheets may be copied without the English translations for active rather than passive use.
• Word pattern sheets
• Verb sheets
• Answers to the *Récréation* activities and to the *Au Choix* worksheets.

And for assessment:

• *Mini-tests*
  Activities to help pupils with revision and self/peer assessment.
• *Bilans*
  Checklists for self/peer assessment.
• *Contrôles*
  End-of-module tests at two levels providing opportunities for periodic assessment.
• Profile sheet
  For pupil and teacher to build up a record of the year's work.
• Class record sheets
  For the teacher to record continuous assessment.

Plus:

• Colour game cards
  Sixteen sheets of card which make three colour card games for further oral practice. The instructions are given on page 8.

Teacher's Guide

The **Teacher's Guide** contains:
• overview grids for each module
• teaching notes and full tape transcripts
• guidance on using the materials with pupils of varying abilities
• assessment guidance
• suggestions for additional practice
• help with using French in the classroom

Colour game cards

The colour game cards provided with the **Resource and Assessment File** are also available as a separate item. Instructions for playing the games are given on page 8.

Using Book 3 with the full ability range

The support strand

Weaker pupils will need extra support when tackling the core material in the **Pupil's Book**. To facilitate this, Support worksheets *(Feuilles de travail)* are provided. These offer alternative reading texts and/or alternative tasks, gapped texts to support writing activities and grids to support listening activities.

As in the first two books, there is much scope in the core material for differentiation by pace and outcome. Speaking and writing activities are mostly open-ended. Listening and reading stimuli are often exploited through a sequence of two or three tasks which increase in difficulty.

Differentiated follow-up work

A bank of self-access, *Au choix*, worksheets is provided for follow-up work. For each module there are three sets of sheets.
Au choix A for use with units 1–3
Au choix B for use with units 4–6
Au choix C for use with units 8–9

Each set of worksheets comprises:

- At reinforcement level:
  Listening/reading/writing *(Ecouter)*
  Speaking *(Parler)*
  Reading/writing *(Lire)*

- At extension level:
  Listening/reading/writing *(Ecouter ⋀⋀)*
  Speaking *(Parler ⋀⋀)*
  Reading/writing *(Lire ⋀⋀)*

The *Au choix* worksheets can be used for follow-up work at the end of the cycle of units or they can be slotted in at an appropriate point as you progress through the cycle, as suggested in the teaching notes. Where appropriate, the sheets link directly into material in the module. In other cases they offer general revision material. The listening material is provided on Cassette D in the cassette pack. This cassette can be freely copied for use within the school.

The *Au choix* worksheets provide differentiated material for extra practice when and where it is needed. All the worksheets are optional. The sheets have been mapped against level descriptions.

Progression

Avantage is built round a carefully planned spiral of revision and extension. Throughout the course, language areas are repeatedly reintroduced, revised and extended. No language or topic area is limited to one book.

In each book, the key new material is presented in the first four modules. The later modules are predominantly revision and extension material. Similarly, in each module, the third cycle of units (i.e. the material after the second Mini-test) includes extension material. Even if you do not complete all the modules in a year, you can safely move on to the next book.

Fast route

Avantage 3 revises and extends material from Books 1 and 2. A fast route through the material has been plotted on the overview grids for each module in this **Teacher's Guide**. The route is shown with the symbol ▶. This shows which units can be left out. The fast route includes the new material and ensures sufficient revision of previously introduced material. In individual units, the later activities offer extra practice and can be omitted at the teacher's discretion.

Revision and self-assessment

Avantage encourages learners to revise and check their own progress regularly.

There are two Mini-tests per module. These are checklists focusing on recently covered work. Pupils can work in pairs, revise for the tests and then test each other. There are optional *Mini-test sheets* in the **Resource and Assessment File** which can be given to those pupils who might need models of the language needed to fulfil the functions covered. Pupils who have finished the Mini-test work can move on to the *Récréation* spread which follows it. A record of Mini-tests completed can be kept on the *Profile sheet* provided in the **Resource and Assessment File**.

At the end of Modules 1–5 there is a *Bilan* – a checklist of key language covered. There is a photocopiable version in the **Resource and Assessment File** with boxes for pupil and friend/teacher to tick.

Teacher assessment

The assessment scheme consists of ongoing assessment as well as opportunities for more formal periodic assessment. The scheme in Book 3 covers National Curriculum levels 2–7.

Ongoing assessment

All Pupil's Book and worksheet activities have been given a National Curriculum level. This is to assist teachers in gathering evidence of pupils' performance over a range of activities. It is important to stress that a level should not be assigned to pupils on the basis of individual activities. The Summary Grid on pages 10–11 of this book shows the range of levels covered in the Pupil's Book, the worksheets and the *Contrôles*.

Periodic assessment

The end-of-module tests *(Contrôles)* provide a more formal means of assessment. The tests cover the skills of listening, reading and writing and focus on levels 4 to 6. Some level 3 tasks are also included. It is assumed that speaking assessments will be undertaken on a continuous basis and there is no formal speaking assessment in the *Contrôle*. However, the *Petit portrait/Petite histoire* at the end of each module provides a good stimulus for narrative and for descriptive language.

The copiable materials for the tests are in the **Resource and Assessment File**. There is no *Contrôle* for Module 6.

The tests have the following format:
- Listening
  Two levels of test are available, and where appropriate the tasks within each test are stepped, allowing for further differentiation.
- Reading
  Two levels of test are available, and where appropriate the tasks within each test are stepped, allowing for further differentiation.
- Writing
  The stimulus for the writing test is the *Petit portrait/Petite histoire* at the end of each module. A range of activities is suggested in the teacher's notes.

The test items are matched to N.C. levels. For the listening and reading tests a mark scheme is provided. For the writing test, where level depends on outcome, no mark scheme is given. In some cases criteria which may be particularly useful in helping to determine level achieved have been given. In all tests it is left to teachers' professional judgement to decide what the 'pass mark' should be. A useful indicator of success might be 75%. If pupils score between 40%–75% on an activity it probably indicates that they are working at the level below.

Recording assessment

Two types of recording sheet are provided in the **Resource and Assessment File.** The *Class record sheets* (pages 177–8) enable you to build up a picture of how each member of the class is performing. There is provision to record 'has achieved'◢ and 'has consistently achieved' ■ against each level. In addition, more detailed information about each pupil can be recorded on the *Profile sheet* (**Resource and Assessment File**, page 176). This sheet enables you and your pupils to record *Mini-tests* completed, levels achieved in the *Contrôles* (including a level for speaking in case formal assessment is undertaken) and any ongoing assessment you may have undertaken.

   The assessment activities are often mixed-skill. However, to make assessment manageable we have focused on one Attainment Target in each task.

The teaching sequence

Presentation

New language can be presented using the cassettes, ensuring that pupils have authentic pronunciation models. To set the new language in a purposeful context, pupils usually engage in a simple matching activity. The solution to the activity is often presented on cassette. Pupils listen and check their answers, and so exposure to the new language is reinforced. This means that pupils with access to listening equipment can sometimes work on their own. This method of presenting new language also supports the non-specialist teacher.

   A set of 96 images on Flashcards provides another means of presenting new language. A list of the Flashcards is given on page 8.

Practice

Pupils move on to a variety of activities in which they practise the language, usually in pairs or groups. Many of the practice activities are open-ended, allowing pupils to work at their own pace and level. Ideas for additional practice are given in the teaching notes for each unit.

Reinforcement and extension

The units often end with a more extended activity of an open-ended nature. Pupils of all abilities can work on the same basic task and the teacher has an opportunity to work with individuals or small groups.

   To cope with the wide range of ability in the third year of language learning, banks of reinforcement and extension worksheets (*Au choix*) are provided, as described above.

Grammar

The key structures being used in a unit are presented in a grid on the **Pupil's Book** page, providing support for speaking and writing activities. A summary of the key structures of the whole module is given in the *Bilan* at the end of the module, and a summary of grammar points is provided at the back of the **Pupil's Book**. Photocopiable *Word pattern sheets* and *Verb sheets* provide activities which focus on the structure of the language pupils have been using. There are ten sheets of each type and they may be used at any time for revision and practice. Suggested opportunities are included in the teaching notes.

Incorporating IT

Many of the activities in *Avantage* can be enhanced by the use of IT. Possibilities include the use of databases, DTP packages and word processing packages.

   The National Council for Educational Technology provides comprehensive and up-to-date information sheets on using IT in the modern languages classroom. The NCET can be contacted at:

NCET
Sir William Lyons Road
University of Warwick Science Park
Coventry
CV4 7EZ
Tel: 0203 416994

Using French in the classroom

As in Books 1 and 2, instructions in the **Pupil's Book** are in French. A list of key instructions appears at the back of the book with their meanings.

Coverage of the National Curriculum Programmes of Study Parts I and II

Part I

There are four sections in Part I of the Programmes of Study. The statements in each section are cross-referenced in the overview grids provided at the start of the teaching notes for each module. The sections are:

1. Communicating in the target language
2. Language skills
3. Language-learning skills and knowledge of language
4. Cultural awareness

Part II

Coverage of the Areas of Experience is shown in the overview grids for each module. There is also a summary chart of Topics and Areas of Experience in *Avantage 3* on page 12 of this book.

Flashcards

The following flashcards are provided:

Continents

1 North America
2 South America
3 Africa
4 Europe
5 Asia
6 Australia
7 Antarctica

Animals

8 Bison
9 Llama
10 Elephant
11 Wolf
12 Panda
13 Kangaroo
14 Penguin

Environmental problems

15 Deforestation
16 Acid rain
17 Overpopulation
18 Overgrazing
19 Drought
20 Ozone layer (Global warming)
21 Overfishing

TV programme types

22 Weather forecast
23 News
24 Games show
25 Advertising
26 Cartoon
27 Sports programme
28 Music programme
29 Children's show
30 Documentary
31 Soap opera

In town

32 Railway station
33 Post office
34 Bank
35 Castle
36 Market
37 Shopping centre
38 Cathedral
39 Mosque
40 Park
41 Bus station
42 River
43 Traffic lights
44 Town hall
45 Theatre
46 Motorway
47 Restaurant
48 Café

Clothes

49 T-shirt
50 Sports shirt
51 Shirt
52 Blouse
53 Tie
54 Jeans
55 Trousers
56 Shorts
57 Skirt
58 Cardigan
59 Blazer
60 Anorak
61 Gloves
62 Mittens
63 Jersey
64 Scarf

Accidents

65 Car not giving way
66 Bicycle wobbling into car
67 Boy running for football knocked down by mobylette
68 Woman tripping
69 Car running into wall
70 Car running into boy
71 Car ignoring red light
72 Head-on collision
73 Girl on bicycle hit by car
74 Boy running in front of car

Bedroom

75 Bed
76 Wardrobe
77 Table
78 Chair
79 Chest of drawers
80 Radio alarm clock
81 Books

Jobs

82 Mechanic
83 Hairdresser
84 Driver
85 Doctor
86 Nurse
87 Plumber
88 Butcher
89 Bank clerk
90 Shop assistant
91 Musician/Singer
92 Teacher/Librarian
93 Secretary
94 Electrician
95 Farmer
96 Businessman/woman

Colour game cards: Instructions

Game 1: Le Tour de France

The first 4 cards should be laid or taped together to form a large map of France. The bicycle cards should be cut out and pinned to corks to make playing counters. The 36 instruction cards are shuffled and placed face down in a pile.

Each player has to:

1 choose a bicycle and place it at the Départ
2 draw a card and follow the instructions on it
3 put the card down in a separate pile; when all the cards have been used, the pile is shuffled and reused.

The winner is the person who collects the most shirts on the way round.

French instructions:
Choisissez un vélo.
A tour de rôle, prenez une carte et bonne chance!
Lisez la carte et avancez ou reculez le pion.
Ensuite, remettez la carte sur un nouveau tas.
Quand le premier tas est fini, rebattez les cartes et reprenez-en jusqu'à ce que le tour soit fini.
Celui qui gagne une étape reçoit un maillot rouge.
Celui qui termine la course en montagne le premier reçoit le maillot blanc à pois rouges.
Celui qui a le plus de maillots à la fin du Tour reçoit le maillot jaune du champion.

Game 2: Les vêtements

This game is played like Happy Families. The 10 base cards with figures on are placed on the table. The cards with individual items of clothing are shuffled and dealt out. Each player should have 4 cards; the remainder are placed face down in a pile on the table. The aim of the game is to collect a set of 4 cards and 'dress' one of the figures on the table. The first player to succeed wins. There is a 'joker' set of cards to dress either of the unclothed figures.

Players take turns to ask the next player (moving clockwise round the table) for the card they want. If the person has it, (s)he must hand it over, and take the top card from the pile in exchange. The asker must discard a card, placing it at the bottom of the pile, and can then ask the next person for another card. (S)he can go on asking until (s)he asks for a card which someone does not have. The turn then passes to the next player.

The game can be adapted for small groups by leaving out some of the base cards and the corresponding clothes cards.

French instructions:

On met les 10 cartes 'personnes' sur la table. On bat les cartes 'vêtements' et on en distribue 4 à chaque joueur. On met les autres cartes en pile sur la table, face dessous. Le but du jeu est de rassembler un groupe de 4 cartes pour 'habiller' une des personnes; il y a 4 jokers qui peuvent habiller une des deux personnes non habillées.

Le premier joueur demande une carte au suivant (dans le sens des aiguilles d'une montre); s'il a la carte demandée, il doit la lui donner et prendre une autre carte sur la pile. Le joueur doit remettre une de ses cartes sous la pile. Il peut alors demander une carte au suivant, et ainsi de suite. Si la personne n'a pas la carte demandée, le tour passe au suivant.

Game 3: Fiches d'identité

These personal details cards can be used to augment the Book 2 game 6: *L'interview*, but they are also supplied as a general resource for role play work.

Symbols used in the Teaching Notes

〰 extension material/suggestion for extending an activity for the more able

☝ reinforcement material/suggestion for simplifying an activity for the less able

* receptive vocabulary/structure

▭ material on cassette

▶ fast route (see the note on page 6)

N.C. Levels and Programmes of Study: Summary grid

Module 1 – A vos marques!		AT1	AT2	AT3	AT4	PoS Pt I	Areas of experience
Personal information	*Pupil's Book*	2-6	2-6	2-6	2-6	1a-c,e-g,i,j	A,B,C,D
Family						2a,d,e,k,m	
Jobs/places of work	*Worksheets*	3-6	3-5	2-6	2-6	3b-e,g-i	
Daily routine							
Free time	*Contrôles*	3-5	–*	4-5	3-6		

Module 2 – S.O.S. Terre!		AT1	AT2	AT3	AT4	PoS Pt I	Areas of experience
The world	*Pupil's Book*	2-6	2-6	2-7	2-6	1a,d,g,h-j	A,B,C,E
Seasons						2a,e,f,j-l,n	
Francophone countries	*Worksheets*	4-6	3-6	2-6	3-6	3d-g	
Environmental problems						4c-e	
	Contrôles	4-5	–	4-5	3-6		
Home town and area							

Module 3 – Bien dans ma peau		AT1	AT2	AT3	AT4	PoS Pt I	Areas of experience
Parts of the body	*Pupil's Book*	3-6	2-6	2-7	2-7	1a,c,d,g,i,k	A,B
Giving advice						2b-d,g,h,l,m,o	
Personal characteristics	*Worksheets*	3-6	2-6	2-6	2-6	3c,e-g	
Food/healthy eating	*Contrôles*	4-6	–	4-5	3-6	4a	
Food shopping							
Saying what's wrong							
Holidays/campsites							
Winter sports							

Module 4 – De chez moi à la lune		AT1	AT2	AT3	AT4	PoS Pt I	Areas of experience
Clothing, footwear	*Pupil's Book*	2-7	3-7	2-7	2-7	1a-k	A,B,C
Opinions						2c,g,h,j	
Lost property	*Worksheets*	3-7	3-7	2-6	2-7	3g,h	
Fashion show							
Problems/advice	*Contrôles*	4-5	–	3-5	3-7	4c	
Present/past							

Module 5 – A deux roues		AT1	AT2	AT3	AT4	PoS Pt I	Areas of experience
Bicycles	*Pupil's Book*	2-7	2-7	5-7	2-7	1c,f-i	A,B,C
Shopping						2a,b,d,g-i,l,m	
Travel by road in France	*Worksheets*	4-7	3-6	3-6	3-4	3a,b,d,e,g,i	
Train travel						4a,c,d	
Newspaper headlines	*Contrôles*	4-5	–	5-6	3-7		
Weekend plans							
Playing a board game							

Module 6 – A vos plumes!		AT1	AT2	AT3	AT4	PoS Pt I	Areas of experience
Items in a newspaper	*Pupil's Book*	3-7	4-7	3-7	2-7	1b,e,g,j,k	A,B,C,E
Layout							
Working on a computer	*Worksheets*	–	–	–	–	2b,c,m-o	
Interviews							
Small ads	*Contrôles*	–	–	–	–	3d,e	
Geography (France)						4a,c-e	
Space exploration							

* In *Avantage 3* there is no end-of-module speaking test. It is assumed that this skill will be monitored through continuous assessment.

Avantage 3: Topics related to Areas of Experience

This table groups the topics in *Avantage 3* under the five Areas of Experience.

Individual units in the book often involve more than one of the interrelated areas. The module overview grids in the teaching notes show which area or areas are dealt with in a particular unit.

Avantage 3 revisits and extends topics covered in the previous books, approaching them from a different angle. The emphasis in Book 3 is on the wider world.

The first number relates to the module and the second number refers to the unit.

Réc. = Récréation

A: Everyday activities
House and home 1/3 1/4 1/7
Daily routine 1/5 4/9
Food/healthy eating 3/4
Recipes 3/5
Shopping 3/5 4/2 5/2 6/réc.
Illness 3/6
Clothes 3/8 4/1 4/2 4/3 4/6
Lost property 4/4
Diary 5/9
Newspaper articles 6/1 6/2
Using computers at school 6/3

B: Personal and social life
Self, descriptions 1/1 2/réc 3/1
Problems and advice 3/2 4/7 4/8
Personal characteristics 3/3 3/9 4/réc.
Family 1/2
Beauty advice 1/réc.
Free-time activities 1/6 1/7 5/1 5/7 5/8 6/9
Relationships 1/9 3/réc. 6/6
Sports 3/6 3/8
Holidays 3/7
Fashion show 4/6
Festivals 4/rec.
Interviewing people 6/5

C: The world around us
Places in France and French-speaking countries 1/1 6/7
France/travel 5/3 5/4
The earth 2/1
Weather and seasons 2/2 2/7
Environmental problems 2/4 2/5 2/6 5/5
Towns and home town 2/7 2/8
Animal world 2/9

D: The world of work
Jobs and places of work 1/2 1/8

E: The international world
French-speaking countries 1/1 2/1
Life in Africa 2/3
World events/space travel 6/8

Module 1: A vos marques! *(Pupil's Book page 4)*

Unité	Main topics and functions	PoS Part I	PoS Part II	Skills	Grammar
Moi (pp.4-5) ▶	Personal information (revision and extension) Making a short personal presentation	1a, 2e	B, C	L S R W Introducing other parts of France and the French-speaking world	Present tense verbs, first and third persons
Ma famille (pp.6-7) ▶	Talking about your family Saying what jobs people have and where they work	1b, 2k	B, D	L S R W Using reference materials Developing awareness of language	*Mon père/Ma mère est ... Il/Elle travaille ... Il/Elle ne travaille pas Qu'est-ce que c'est en anglais? Je ne sais pas Il faut le chercher dans le vocabulaire*
Ma maison (pp.8-9) ▶	Talking about the house/home (revision and extension)	3b, 3d	A	L S R W Asking for help Developing reading skills	*Ici, c'est le/la ... A gauche/A droite, c'est ...*
Récréation (pp.10-11)	Revision	1i	B	R Independent reading for interest (magazine items and quizzes)	
Rangez sans vous déranger! (pp.12-13)	Talking about your own room Describing things (revision and extension)	2a, 3e	A	L S R W Developing reading skills Deducing the meaning of new words	*mon* with feminine noun beginning with vowel
Le lundi (pp.14-15)	Talking about daily routine (revision and extension) Time (revision)	1e, 2m	A	L S R W Developing fluency Coping with unpredictability	Reflexive verbs, present tense *on* for first person plural
Ce soir (pp.16-17)	Talking about what you do in your free time Talking about what you are going to do and making arrangements TV programmes (all revision and extension)	1c, 3i	B	L S R W Coping with unpredictability	*aller* + infinitive *Qu'est-ce qu'on pourrait faire ce soir? On pourrait ... Je ne veux pas* etc. *On se retrouve où?*
Récréation (pp.18-19)	Revision	1g		R Independent reading for interest (cartoon story)	
Le week-end dernier (pp.20-21) ▶	Talking about what you did at the weekend Saying what you have done to help at home	1f, 1i	A, B	L S R W Developing fluency	Perfect tense, first, second and third persons *ne ... rien*
Un sondage (pp.22-23) ▶	Carrying out a survey and writing a report on the findings (revision and extension)	2d, 3h	B, D	L S R W Conducting a survey Asking questions Developing language awareness	*tu* and *vous* forms
Page de lecture (pp.24-25)	Revision and extension	1j, 3c	B	R W Reading for interest (diaries)	
Bilan (p.26)	Revision			S	
Petit portrait (p.27)	Revision	3g	A, B	S W	
Contrôle	Revision			L R W	

Main topics and functions

- Personal information (revision and extension)
- Making a short personal presentation

Other aims

- Introducing other parts of France and areas of the French-speaking world (Africa and the Caribbean)

Structures

- Present tense verbs, first and third persons
  Je m'appelle ...
  Il/Elle s'appelle ...

J'ai/Il a/Elle a ... (treize ans/les yeux .../les cheveux ...)
Je mesure ...   Il/Elle mesure ... (1,52m)
Je porte ...   Il/Elle porte ...
Je suis ...   Il/Elle est ...
J'habite ...   Il/Elle habite ...

Vocabulary

en Afrique
dans les Alpes
aux Antilles
au bord de la mer
une ville industrielle

---

1 a Lis et devine. Comment s'appellent-ils? (AT3/4)
Reading comprehension. There are six photographs to match to six graded texts, to find out the names of the people in the photographs. The later texts are more difficult.

Answers: 1D Pierre, 2C Sylvain, 3A Céline, 4E Amélie, 5B Eveline, 6F Suliman

b Ecoute: Qui est-ce? (1–6) (AT1/3)
This is a listening game. Pupils have to guess which of the people in the photographs is speaking. They get 3 points if they get it right after hearing only one sentence, 2 points if they get it right after hearing two sentences, but only 1 point if they need three sentences.

Answers: 1(A) Céline, 2(D) Pierre, 3(C) Sylvain, 4(B) Eveline, 5(E) Amélie, 6(F) Suliman

(pause tape)

1 Je suis assez petite. Mes cheveux sont assez longs ... euh, blonds et bouclés.
2 J'ai les yeux bruns. J'ai les cheveux bruns, très courts. Je porte des lunettes.
3 Je suis assez petit. J'ai les yeux bleus et ... euh, les cheveux blonds et courts.
4 J'ai les cheveux mi-longs. J'ai les yeux bleus. Euh, mes cheveux sont un peu roux.
5 Je suis assez grande. J'ai les yeux bruns ... et les cheveux courts, frisés.
6 Je suis assez grand. J'ai les yeux bruns et les cheveux noirs.

c A deux: Décris une personne. Ton/Ta partenaire doit deviner qui c'est. (AT2/3–4)
Pupils take turns to describe someone for their partner to identify. To do this properly, they are now having to use the third person of the verb and the possessive adjectives.

If pupils need more practice at personal descriptions, you could describe someone for them to draw. As pupils gain in confidence, they could be expected to contribute to the descriptions. Later they should be able to work in pairs, drawing someone and then describing their picture for their partners to draw.

Example:
C'est une fille assez grande, aux cheveux blonds, courts, et aux yeux bleus. Elle porte un pull bleu et une jupe du même couleur et des chaussures noires ...

Verbs 1 is available to revise the present tense for those pupils who are able to grasp the concept of changing verb forms to agree with person and number. Do not use this sheet yet with pupils who are only able to produce the first person. Rather let them concentrate on the

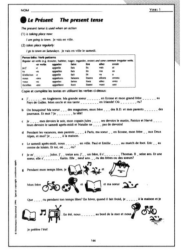

correct form of the first person in the present, and later the correct form of the first person in the perfect tense. (They can rote learn or look up question forms and 'reporting back' forms as they need them at this stage.)

2 a A deux: Devine. C'est quelle photo? (AT3/2)
Pupils use their general knowledge of the world to match the photos to the places.

Answers: 1 Ouagadougou (Burkina Faso), 2 Chamonix (Alpes), 3 Rouen (Normandie), 4 Le Lavandou (Côte d'Azur), 5 Paris, 6 Basse-Terre (Guadeloupe)

b Ecoute: Où habitent-ils? (1–6) (AT1/3)
Listening comprehension: the people introduced in exercise 1 describe where they live.

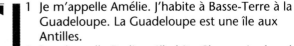

1 Je m'appelle Amélie. J'habite à Basse-Terre à la Guadeloupe. La Guadeloupe est une île aux Antilles.
2 Je m'appelle Eveline. J'habite Chamonix dans les Alpes. Mon père tient un hôtel aux Houches, un

petit village près de Chamonix.
3 Je m'appelle Sylvain. J'habite au Lavandou. C'est au bord de la mer. C'est une ville très touristique. Mon père est comptable et ma mère a un magasin.
4 J'habite Ouagadougou, la capitale du Burkina Faso en Afrique. Mon père est professeur. Mon nom est Suliman.
5 J'habite à Rouen. Rouen est une ville industrielle située sur la Seine au nord-ouest de la France. Je m'appelle Pierre.
6 Je m'appelle Céline. J'habite à Paris, la capitale de la France. Nous habitons une banlieue qui s'appelle Saint-Germain-en-Laye.

c **Qui est-ce? (AT3/2)**
Reading comprehension: using the information gained from exercise 2b, pupils work out who each sentence refers to.

Answers: A Suliman, B Amélie, C Eveline, D Pierre, E Sylvain, F Céline

3 Prépare et enregistre trois phrases sur chaque personne. Ton/Ta partenaire doit deviner qui c'est. (AT2/3–4, AT4/3)
Pupils can do this orally if tape recorders are not available, but using recorders makes them prepare the work more carefully and give a more polished performance.

If possible, each pupil should have a cassette to record his/her own material and keep it as a personal record. It will also be useful when revising for tests at a later date.

At this point you could use the worksheets **Au choix 6 (Lire A** Reinforcement) and **7 (Lire A** Extension); see page 20 below.

Chez toi (AT2/3–4, AT4/3–4)
Pupils should be able to prepare short presentations about themselves.

② *Ma famille* (Pupil's Book pages 6–7)

Main topics and functions

- Talking about your family
- Saying what jobs people have and where they work

Other aims

- Using reference materials and developing research skills: learning to ask each other the meaning of new words and to look up new words for yourself
- Developing awareness of language: masculine and feminine forms of nouns (jobs)
- Increasing fluency in moving between the first and third persons
- Revising adjectival agreement

Structures

Mon père/Ma mère est ...
Il/Elle travaille ...
Il/Elle ne travaille pas/travaille à mi-temps/à son compte.
Qu'est-ce que c'est en anglais?
Je ne sais pas.
Il faut le chercher dans le vocabulaire.

Vocabulary

ma famille:
ma mère
mon père
mon (petit) frère
ma (petite) soeur
mon frère/ma soeur aîné(e)

les métiers:
acteur/trice
agent de service — tradesman?
boucher/ère
boulanger/ère
chanteur/se
chauffeur/se

coiffeur/se
comptable — accountant
dentiste
dessinateur industriel — industrial draughtsman
électricien(ne)
employé(e) de banque/de la ville
entrepreneur
facteur/trice
fermier/ière
fonctionnaire — civil servant
footballeur
garagiste
infirmier/ière
ingénieur
instituteur/trice
médecin
notaire — solicitor
plombier
pompier
professeur
secrétaire
technicien(ne) de surface — cleaner
vendeur/se

dans:
un atelier — workshop/artists studio
un bureau
un cabinet (médical)
un collège
une école
un hôtel
un magasin
un restaurant
la rue
un stade
un théâtre
une usine
à la maison
à mi-temps
à son compte — self-employed
au chômage

1 Ecoute: Qui parle, Gwenaëlle, Richard ou Lucie? (AT1/4)

There are pictures of three people's families to pair up. Pupils listen and work out which picture belongs to each speaker.

Answers: 1 Richard, 2 Lucie, 3 Gwenaëlle

1 Voici une photo de ma famille. Voici mon père. Il est boulanger. Il a les cheveux bruns. Ma mère a les cheveux courts, frisés. Elle porte une chemise rouge et un jean. Ma petite soeur a les cheveux longs, blonds. Elle aide mon père dans le magasin. Ma soeur aînée a les cheveux courts, frisés et elle porte une robe bleue et un gilet [cardigan (waistcoat)] blanc. Elle est infirmière. Je n'ai pas de frère.

2 Voici ma photo. Ça, c'est mon père. Il travaille à la poste. Il a les cheveux gris. Ma mère a les cheveux roux. Elle ne travaille pas. Ma petite soeur a trois ans. Elle a les cheveux courts, blonds. Mon frère est grand. Il mesure 1,72m et il a les cheveux courts, roux. Le chien a le poil long et il s'appelle 'Boy'.

3 Ça, c'est ma mère, mon petit frère et ma petite soeur. Mon frère a les cheveux noirs comme ma mère, et ma petite soeur a les cheveux longs, bouclés. Ma mère travaille dans un supermarché. Elle est grande et a les cheveux courts, frisés.

2 a Copie et complète le texte. (AT4/3–4)

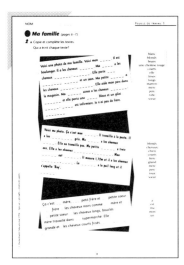

Support worksheet 1 has the text with the missing words printed separately for pupils who might otherwise find this too difficult. This worksheet also has gapped texts for the other two pictures.

Answers:

1 père; bruns; mère; courts, frisés; une chemise rouge; soeur; longs, blonds; soeur; courts, frisés; robe; blanc; Elle; Richard

2 père; cheveux; mère; roux; soeur; courts, blonds; frère; grand; courts, roux; chien; Lucie

b A deux: Choisis une 'photo' et écris un texte. Lis ton texte à ton/ta partenaire. Il/Elle doit deviner quelle photo c'est. (AT4/4–5)

Guided writing: the worksheet texts can be used as models.

c A deux: Choisis une personne sur une des 'photos' et décris-la. Ton/Ta partenaire doit deviner qui c'est! (AT2/3–4)

This is an oral exercise and its aim is to increase fluency. It could be made into a game by having each pupil prepare three statements and giving points as in Unit 1 exercise 1b.

3 a A deux: Faites des recherches. (AT2/4–5)

Revision and extension of jobs. Pupils work out what the English equivalents are by deduction and recognition of cognates, by asking each other and by looking the words up. Additional jobs are given in the vocabulary list above.

Pupils are now moving on to new material and should be expected to be able to ask other people for assistance (in the target language) and to look up new words for themselves.

Word patterns 1

(Masculin ou féminin?) is appropriate at this point, to help pupils develop an awareness of different masculine and feminine forms.

endings

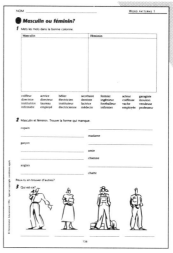

b A deux: Où travaillent-ils? (AT2/3–4)

Pupils have to say where the different people work. Some words are given, but they are expected to be able to look others up.

Tell pupils to choose five occupations and say where these people work.

c Ecoute: Qu'est-ce qu'ils font dans la vie? (1–5)

This is a short listening exercise for fun, using sound effects, to revise jobs vocabulary.

1 coiffeur/se; 2 instituteur/trice; 3 employé(e) de banque; 3 garçon (au bar); 4 chauffeur (de taxi)

4 'Ma famille': Qu'est-ce qu'ils font? Copie et complète. (AT4/2–3)

A simple writing exercise. Pupils write about their family (or an imaginary family) as preparation for homework.

At this point you could use the worksheets **Au choix 2** (**Ecouter A** Reinforcement), **4** (**Parler A** Reinforcement) and **5** (**Parler A** Extension); see pages 19–20 below.

Chez toi (AT2/4–5, AT4/3–5)

Pupils prepare and if possible record a description of their own family, or an imaginary one if they prefer.

③ *Ma maison* *(Pupil's Book pages 8–9)*

Main topics and functions	*l'immeuble*

Main topics and functions

- Talking about the house/home (revision and extension)

Other aims

- Using target language to ask for help
- Developing reading skills

Structures

Ici, c'est le/la …
A gauche/droite, c'est …
et voici …

Vocabulary

le balcon
la cave
ma chambre
la cuisine
l'entrée
le garage

l'immeuble
la maison
la salle à manger
la salle de bains
le salon/la salle de séjour

au premier étage
au rez-de-chaussée
au sous-sol

la colline
la fleur
l'intérieur
*la jalousie
le jardin
le lotissement
le mur
*la parterre
la rue
*le vélux
la ville

---

1 a A deux: Lisez et cherchez les mots que vous ne connaissez pas dans le vocabulaire. (AT3/5)

This is an exercise to develop research, reading and comprehension skills. It can be treated:

as a gist reading comprehension exercise (skimming and looking for key words to identify which house is being spoken about, keeping the language mostly in the target language)

as a more detailed comprehension exercise (beginning to develop translation skills: pupils can read through the passage in pairs, write down the words or phrases they don't understand, then write them on the board; any pupil who knows the meaning could put the English beside them)

as a translation exercise (working in pairs, pupils could look up words for themselves and produce a joint translation of the text).

b La maison de Benoît, c'est quelle maison? (AT3/5)

It should now be easy to identify which of the houses pictured is Benoît's house.

Answer: C

c Ecoute: Laquelle est la maison de Nathalie et laquelle est la maison d'Amélie? (AT1/4)

Listening comprehension: pupils identify which is Nathalie's and which Amélie's house. This time the language is more familiar, except for the words *lotissement* and *jalousie*.

Answers: Nathalie A, Amélie B

1 Je m'appelle Nathalie. J'habite une maison à la campagne où il y a beaucoup de forêts et de champs. Ma maison est dans un lotissement. Nous habitons là depuis deux ans. La maison est toute neuve. Il y a l'entrée, la cuisine, la salle à manger et le salon (la salle de séjour) au rez-de-chaussée. Au premier étage il y a ma chambre, la chambre de mes parents et la salle de bains, et au sous-sol il y a la cave et le garage, mais on ne les voit pas sur la photo.

2 Bonjour. Je suis Amélie. J'habite un petit immeuble dans le centre de la ville de Basse-Terre. C'est au deuxième étage. Nous avons un balcon donnant sur la rue. Les jalousies sont jaunes. Dans l'immeuble, il y a une grande cuisine, un salon, deux chambres et une salle de bains.

2 Ecoute: Où est-ce qu'ils habitent? (1–6) (AT1/2)

A simple revision exercise: people say where they live. It can be carried out at different levels:

Pupils would be expected to write down the letter of the appropriate picture.

Pupils should be able to say what sort of 'house' each is.

They could take notes and 'report back'.

Answers: 1B, 2E, 3A, 4C, 5F, 6D

1 J'habite une ferme à la campagne près de Rouen.
2 Moi, j'habite un grand immeuble en pleine ville.
3 Notre maison est vieille, mais je l'aime bien.
4 J'habite un petit bungalow dans la banlieue.
5 Nous habitons une maison toute neuve dans un lotissement.
6 J'habite au centre-ville. Nous avons une maison moderne à trois étages.

3 **a A deux: Voici un plan de la maison de Nathalie. Enregistrez une visite de la maison. (AT2/4–5)**

Pupils should be able to say the names of the rooms.

Most pupils should be able to devise a tour of the house.

Pupils could be expected to extend their 'tour', e.g. by saying what they do in the various rooms.

b Prépare une description, ou enregistre une visite de ta maison. (AT2/4–5, AT4/4–5)

Pupils do the same for their own home. Here are some extra words that might be useful:

attic = *le grenier/la mansarde*
cloakroom/downstairs toilet = *les toilettes (du bas)*
conservatory = *le jardin d'hiver/la serre/la véranda*
junk room = *le débarras*
landing = *le palier*
office/study = *le bureau*
pantry = *le garde-manger*
play room = *la salle de jeux*
porch = *la véranda*
utility room = *une arrière cuisine/la pièce où on fait la lessive*

> At this point you could use the worksheet **Au choix 3 (Ecouter A Extension)**; see below.

Mini-test 1
(AT2/3–4)

The sheet **Mini-tests 1 & 2** has models of the language needed for this test.

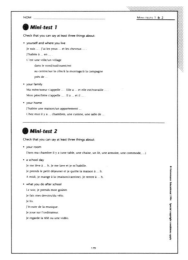

Reinforcement and extension worksheets

Au choix 2 (Ecouter A) (AT1/4)

1 Pupils complete written descriptions of a family.
2 Imaginative writing based on a picture. (AT4/3–4)

1 Qui est-ce?

A – Voici ma mère.
  – Elle est jolie. Comment elle s'appelle?
  – Véronique.
  – Comment ça s'écrit?
  – V E R O N I Q U E.
  – Qu'est-ce qu'elle fait?
  – Elle travaille à mi-temps ... dans la boulangerie du coin.
B – Et ça c'est ton père?
  – Non, ça c'est mon frère aîné ... euh, enfin, mon demi-frère, ... il s'appelle Maurice.
  – M A U R I C E?
  – Oui, c'est ça. Il a vingt-deux ans .... Il est électricien .... euh ... Il répare les télés.
C – Ça, c'est mon père avec les lunettes.
  – Il s'appelle comment?
  – Georges.
  – G E O R G E S?
  – Oui, c'est ça.
  – Qu'est-ce qu'il fait?
  – Il est chauffeur de camion.
D – Ça, c'est mon frère, Frédéric.
  – F R E D E R I C?
  – Oui. Il a neuf ans. Il va toujours à l'école primaire.
E – Et ta soeur?
  – C'est ma demi-soeur. Elle a vingt ans. Elle s'appelle Coralie. Elle est infirmière.

Au choix 3 (Ecouter A) (AT1/5–6)

1 Listening to match adverts for houses and apartments, note their prices and the opinions expressed.
2 Pupils give their own opinions.

Maison à vendre!

1 – Tu préfères une maison ou un appartement?
  – Un appartement.
  – Regarde: Appartement, banlieue sud ... c'est bien, le sud ... superbe duplex ... j'aime les duplex, on a un appartement mais on a toujours deux étages ... 90m² environ, assez

maisonnette

grand, cuisine intégrée. Ça va ... séjour, trois
chambres, salle de bains, wc, box. Box?
Qu'est-ce que c'est?
– Sais pas. Ça coûte combien?
– 440 000 F. C'est assez cher. Bon, on va le
voir? Ça pourrait être intéressant.

2 – Superbe appartement, centre-ville, 45m² env.
Cuisine intégrée, séjour, une chambre, salle
de bains. Proche gare.
– Ça coûte combien?
– 330 000 F.
– Ah non. Je ne veux pas habiter en centre-ville
... et c'est trop petit.

3 – Banlieue sud très calme, cuisine, salon/séjour,
trois chambres, salle de bains, balcon, cave,
garage.
– Ça coûte combien?
– 560 000 F. Cher?
– Mais il faut le voir. Ça semble superbe ... avec
balcon aussi ... J'espère que le balcon est assez
grand.

4 – Banlieue nord: 70m² environ, cuisine intégrée,
séjour, deux chambres ... il n'y a que deux
chambres ... salle de bains, garage.
– Ça coûte combien?
– 380 000 F. Qu'est-ce que tu en penses?
– C'est trop petit.

5 – Centre-ville: Superbe appartement de 86m²
environ, cuisine, salon/séjour 36m², deux
chambres, salle de bains, balcon, garage,
cave.
– Combien?
– Prix 620 000 F.
– Trop petit et trop cher.

6 – Centre-ville très beau, cuisine intégrée, séjour,
deux chambres, salle de bains, état
exceptionnel.
– Ça coûte combien?
– 475 000 F.
– C'est pas cher, mais il n'y a que deux
chambres, et j'aurais préféré trois ... et je ne
veux pas être en centre-ville.
– On pourrait voir les maisons?

7 – Pavillon jumelé ... jumelé? Six pièces, garage
deux voitures, deux terrasses, chauffage gaz.
– C'est cher?
– Oui, 800 000 F.
– Si on doit payer autant, je voudrais un
pavillon individuel.

8 – Voilà ... Pavillon 140m², cuisine, salon/séjour
avec cheminée, quatre chambres, salle de
bains, terrain.
– Cher?
– Pas tellement ... 550 000 F.
– Mmm ... il faut le voir ... cheminée? terrain?
Ça pourrait être intéressant. Quatre
chambres... et pas trop cher ... Mmm!

9 – Encore une jumelée ... Maison de village
jumelée, cuisine equipée, salle de bains, wc,
deux chambres ... mmm, deux chambres
seulement ... débarras, garage ...
– Ça coûte combien?
– 690 000 F.
– Trop cher pour deux chambres.

Au choix 4 (Parler A)
Information gap exercise on jobs. **(AT2/3–4)**

Au choix 5 (Parler A) (AT2/5)
Information gap exercise on famous French
people.

Au choix 6 (Lire A) (AT4/3–4)
Imaginative writing based on pictures chosen
or drawn by pupils.

Au choix 7 (Lire A)
Information about places in Normandy.
1 Matching pictures to texts. **(AT3/5)**
2 Writing about similar pictures. (AT4/3–5)

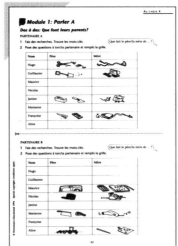

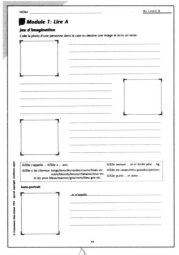

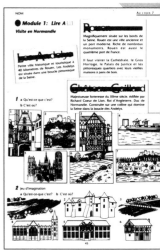

Récréation *(Pupil's Book pages 10–11)* **(AT3/5)**

Independent reading for interest. A variety of styles of reading material is provided in the *Récréations* to ensure that pupils are exposed to a wide range of types of language. Answers to *Récréation* activities are on page 143 of the Resource and Assessment File.

Conseils de beauté
This article presents the sort of language found on the advice pages of magazines for readers of this age group in France. It revises some familiar vocabulary (colours) but puts it in a new context (colours which suit different complexions) and pupils will be able to deduce the meaning of new language from the context.

Test Star
This also presents known language in an unfamiliar context, and introduces some new words and expressions which can mostly be deduced by recognition of cognates or from the context. Pupils should be encouraged to look up some of the words they do not know, although they need not understand every word to enjoy the quiz.

Le saviez-vous?
A reading passage in which the meanings of words can be deduced from the context. Pupils should not be expected to learn these words or translate the passage, but just to be able to work out the gist of the text.

Cherche l'intrus
A more detailed vocabulary exercise which depends on pupils recognising the meaning of each word. They are invited to make up some lines of their own for a partner or for the rest of the class.

4 ***Rangez sans vous déranger!*** *(Pupil's Book pages 12–13)*

Main topics and functions

- Talking about your own room
- Describing things (revision and extension)

Other aims

- Developing reading skills
- Deducing the meaning of new words

Structures

- Use of *mon* before feminine nouns beginning
  with a vowel
  Ça veut dire ...
  Il y a ...
  contre
  de l'autre côté de
  *donnant sur
  près de
  sur

Vocabulary

une armoire	*un poster*
un bureau	*un radio-réveil*
une chaise	*une table*
une commode	*une télévision*
une étagère	*un tiroir*
une fenêtre	
une lampe	**avec surmeuble incorporé*
un lit	*en blanc/chêne*
une mansarde	*clair/imitation pin/noir*
un meuble vidéo	**intégré*
la moquette	
le mur	
un ordinateur	
le papier peint	
le plafond	
*une porte coulissante/ouvrante	
*une porte miroir/pleine	

---

1 **a Rappel! A deux: Qu'est-ce que vous avez dans votre chambre? Faites une liste. (AT4/2)**
Rappel indicates a vocabulary revision activity. In pairs or groups, pupils 'brainstorm' to see how many words they can recall in a given length of time (4 minutes is suggested). A composite list can then be made of all the words from each group.

b Ecoute: Qu'est-ce qu'il y a dans leur chambre? (1–6) (AT1/3–4)
 On **Support worksheet 5** there is a grid where pupils can tick the items as they are mentioned.

Pupils should listen and make notes, then compare their answers.

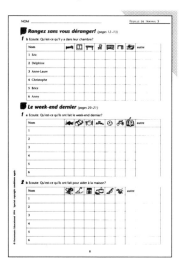

Pupils should be able to include more detailed information about one item per person or to ask for help with a word they haven't understood, e.g. *tabouret*.

 1 Je m'appelle Eric. Dans ma chambre j'ai un lit, une armoire, une commode, un bureau pour ordinateur, une chaise et un radio-réveil.
2 Je m'appelle Delphine. Dans ma chambre, j'ai une armoire intégrée, un lit, des étagères avec des livres, magazines de sport, etc. J'ai une table

avec une chaise. J'ai un poster de footballeur hollandais: van Basten.
3 Je m'appelle Anne-Laure. Dans ma chambre, j'ai un lit, bien sûr, une armoire blanche, une commode également blanche. J'ai une collection de timbres. J'ai un bureau où je fais mes devoirs. Ma moquette est vert pâle.
4 Je m'appelle Christophe. J'ai une armoire, une chaise pour dactylo, un bureau pour mettre mon ordinateur, deux lits (car je partage la chambre avec mon frère) et des posters de Michael Jackson.
5 Moi, c'est Brice. J'ai un lit avec un bureau où je fais mes devoirs, avec un tabouret pour m'asseoir, une armoire intégrée en blanc, une petite table près du lit et des posters d'animaux ... J'ai une girafe et un singe.
6 Moi, c'est Anny. Dans ma chambre, j'ai un lit, bien entendu, une armoire pour ranger mes affaires, un bureau avec une chaise pour m'asseoir, et un ordinateur pour taper mes devoirs.

2 **a Ecoute: Quelle armoire préfèrent-ils? (1–5) (AT1/3–4)**
A simple listening and reading comprehension exercise: pupils match the descriptions they hear to the pictures and captions on the page.

Answers: 1A, 2C, 3B, 4E, 5C

 1 Je préfère celle-ci en blanc, avec trois portes miroirs.
2 Moi, je préfère celle-là avec deux portes en noir et une porte miroir.
3 Moi, j'adore le pin. Je préfère celle-ci, toute en pin.
4 Je n'aime pas le pin. Je préfère l'armoire en chêne clair.
5 Je voudrais avoir au moins une porte miroir, mais je n'aime ni le blanc, ni le pin, ni le chêne!

b Ecoute: Quelle armoire choisit Pascaline? (AT1/5–6)

A longer dialogue for listening comprehension, using the same pictures.

Answer: D

- J'ai besoin d'une armoire.
- Regarde, il y a des armoires ici.
- Fais voir.
- Est-ce que tu préfères les portes normales ou les portes coulissantes?
- Coulissantes, elles prennent moins de place. Ma chambre est petite.
- Bon. Est-ce que tu la veux avec porte miroir?
- Si possible. Je voudrais aussi avoir des tiroirs.
- Comme ça?
- Ah non. Les tiroirs sont trop petits.
- Moi, je préfère celle-ci incorporée, à deux portes ouvrantes en chêne clair et une porte miroir.
- Non, je préfère celle-là à deux portes coulissantes en pin et une porte miroir.

3 A deux: Choisis l'armoire que tu préfères. Ton/Ta partenaire doit deviner quelle armoire c'est. (AT2/4–5)

Paired (or small group) speaking game. Pupils choose one of the wardrobes and the others have to guess which it is by asking questions, to which the answer must be only yes or no.

☞ Play it as a class team game first.

4 A deux: Lisez et comprenez. (AT3/4–5)

This exercise builds on the new reading comprehension skills. Pupils should list the words they don't know and look them up. This also provides models on which they can later base written or oral descriptions of their own rooms.

5 Dessine un meuble pour ta chambre et écris un texte. (AT4/3–5)

Pupils should be encouraged to be creative and to look up words to describe the special features of their chosen piece of furniture. Mail order catalogues can be a useful source of up to the minute language.

☞ **Support worksheet** 2 offers additional models and practice in descriptions of rooms and furniture.

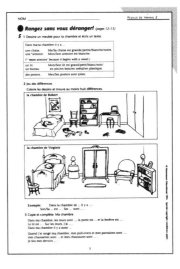

〰 Here is an opportunity to call attention to the use of the masculine forms *mon/ton/son* in front of feminine nouns beginning with a vowel. Ask pupils if they can think of any other examples (e.g. *mon amie, mon école,* etc.). Some pupils find it helpful to draw a parallel with the use of 'an' in English.

☞ At this point you could use the worksheet **Au choix 8** (Ecouter **B** Reinforcement); see page 27 below.

Chez toi (AT2/3–5)

Pupils are asked to prepare a talk about their own room. This could be recorded and kept to help with revision at a later date.

⑤ Le lundi *(Pupil's Book pages 14–15)*

Main topics and functions

- Talking about daily routine (revision and extension)
- Time (revision)

Other aims

- Developing fluency in changing from first to third person
- Learning to cope with unpredictability

Structures

- Reflexive verbs, present tense
- Use of *on* for first person plural

La journée se termine par ...
Qu'est-ce que c'est?
Qu'est-ce que ça veut dire?
Je ne comprends pas.
Je ne sais pas.
Je n'en ai aucune idée.
A mon avis ...

Je crois que ...
Je suppose que ...
Qu'est-ce que tu en penses?

Vocabulary

je me couche	*après*
je dis	*avec*
je fais	*bien*
je goûte	*bruyant(e)*
je me lève	*le car de ramassage*
je mange	*la cour*
je prends	*mais*
je quitte	*pas encore*
je regarde	*peu appétissant(e)*
je rentre	*puis*
je vais	*quelquefois*
	le repas de midi
on a	*souvent*
on dîne	*toujours*
on y mange	
on sort	

FOR THE NEXT UNIT (UNIT 6) IT WOULD BE USEFUL FOR PUPILS TO HAVE A COPY OF ONE EVENING'S (BRITISH) TELEVISION PROGRAMMES.

1 a A deux: Lisez et comprenez. (AT2/4–5, AT3/4)
Gist reading comprehension and more practice at using the target language to ask for assistance in understanding.

☞ **Support worksheet 3** is available for this activity, revising daily routine and the time.

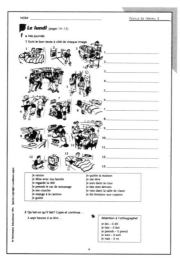

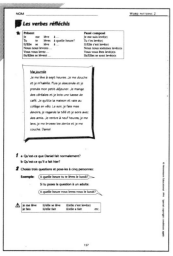

b A deux: A tour de rôle, posez des questions ou répondez aux questions. (AT2/5)

Pupils take turns to ask and answer questions about the text, which means converting a first person text into the third person. They do

not know the answers to all of the questions, so they are being asked to make statements to cover situations of unpredictability.

Word patterns 2 *(Les verbes réfléchis)* gives opportunities for practising reflexive verbs.

2 Ecoute: La journée d'Aurélie (AT1/4–5)
This is a listening exercise which can be performed at different levels:

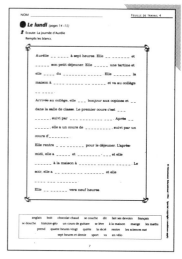

a Most pupils should be able to listen and make notes of the main points.

☞ **Support worksheet 4** has the gapped text for those pupils requiring most help.

〰 **b** Able pupils should be able to take notes and reconstruct the day. (AT4/3–4)

〰 **c** The most able should be able to put it into the past by referring to the verb table at the back of the Pupil's Book. (AT4/4–5)

▯ Je me lève à sept heures. Je me douche et je prends mon petit déjeuner. Je mange une tartine et je bois du chocolat chaud. Euh ... Je quitte la maison à sept heures et demie et vais au collège en vélo.
Arrivée au collège, je dis bonjour aux copines et je vais dans la salle de classe. Le premier cours c'est les

maths, suivi par sciences nat. Après la récré, j'ai un cours de français, suivi par un cours d'anglais. Je rentre à la maison pour le déjeuner. L'après-midi, j'ai sport et histoire-géo et je rentre à la maison à quatre heures vingt. Le soir, j'ai un cours de guitare et je fais mes devoirs. Je me couche vers neuf heures.

3 a Prépare et enregistre un exposé de ton lundi. (AT2/4–5, AT4/3–4)
Pupils are asked to prepare and record their own Monday routine, using the outline given. This should be kept so that it can be used for revision later.

Some pupils might enjoy making a recording of their daily routine with sound effects.

b Echange ton exposé avec l'exposé de ton/ta partenaire et écris ou enregistre un petit rapport sur lui/elle. (AT2/5)
Pupils are asked to exchange their texts with a partner and to report on each other's day, changing the text from the first to the third person. Some pupils should be able to change it into the past tense as well, to say what the person did last Monday, referring to the verb table at the back of the Pupil's Book to check on past participles.

Verbs 2 practises the present tense of *avoir*, *être* and *aller*, ready for their use as auxiliary verbs. If pupils have difficulty with the concept of different forms and persons

of the verb, do not use this sheet yet, but concentrate on the first person and let them rote learn or look up other forms as needed. The correct forms are usually supplied where needed.

At this point you could use the worksheets **Au choix 10** (**Parler B** Reinforcement) and **11** (**Parler B** Extension), and **Au choix 12** (**Lire B** Reinforcement) and **13** (**Lire B** Extension); see page 28 below.

Chez toi (AT2/4–6, AT4/4–6)
Pupils are asked to write or record their routine for a Sunday.

Able pupils can write/talk about last Sunday, using the past tense.

6 *Ce soir* (Pupil's Book pages 16–17)

Main topics and functions

- Talking about what you do in your free time
- Talking about what you are going to do and making arrangements
- TV programmes
  (all revision and extension)

Other aims

- Coping with unpredictability

Structures

- Use of *aller* + infinitive (*futur proche*)
Qu'est-ce qu'on pourrait faire ce soir?
On pourrait ...
Je ne veux pas.
Je ne peux pas.
Je n'ai pas le temps.
J'ai trop de devoirs.
Ça ne m'intéresse pas.

On se retrouve où?
Oui, d'accord.

Vocabulary

Bof!

aller
écouter
faire
jouer
lire
regarder

les actualités
un dessin animé
un documentaire
une émission pour les enfants
une émission de sport
un feuilleton
la météo
la pub

---

1 a A deux: Qu'est-ce qu'on pourrait faire ce soir? (AT2/2–3, AT4/2–3)
Pupils brainstorm together to see how many expressions for free-time activities they can remember.

b Ecoute: Qu'est-ce qu'ils vont faire ce soir? (1–3) (AT1/5)
Pupils should just note the final decision.

 Pupils should be able to say when and where they are going to meet.

1 – Qu'est-ce qu'on va faire ce soir?
  – On pourrait aller à la piscine?
  – Non, je n'aime pas tellement ça.
  – On pourrait faire une balade en vélo.
  – Mes freins sont cassés.
  – Jouer au tennis?
  – Pas ça non plus.
  – Qu'est-ce qu'on va faire alors?
  – Tu sais, il y a Superman 5 au cinéma.
  – OK, on y va. On se retrouve à quelle heure?
  – A six heures et demie devant le cinéma.
2 – On va manger au fast-food ce soir. Tu veux venir?
  – Oui, je veux bien. On se retrouve où?
  – A l'arrêt d'autobus à six heures.
  – Et après? Qu'est-ce qu'on fait après?
  – On va chez Mélissa, écouter de la musique. Ses parents vont sortir ce soir.
  – Ouais, chouette!
3 – On pourrait sortir ce soir?
  – J'ai beaucoup de devoirs à faire.
  – Quoi donc?
  – Les maths.
  – Oh, je les ai finis. C'est assez simple. Je vais t'aider et puis on pourra sortir.

  – Où est-ce qu'on va?
  – On pourrait jouer au tennis.
  – Ah non. Ça c'est trop fatigant. Je ne suis pas en forme.
  – On pourrait faire une promenade le long de la rivière. Il fait beau ce soir.
  – Ouais. Je vais emmener mon chien. Il adore ça.
  – Je vais te chercher après le dîner.
  – Bon! A tout à l'heure!

c A deux: Qu'est-ce qu'on va faire ce soir? (AT2/5)
This is a mapped dialogue for pupils to practise in pairs to improve their fluency.

2 Jeu de cartes: Avec qui est-ce que tu vas sortir ce soir? (AT2/3–4)
This is a set of cards on **Support worksheet 6** with pictures of activities on them. Photocopy enough cards for your class. Each member of the class is given a card and has to find the other pupils with the same activity card. When they have found the other(s) in their group they must agree on a time and place to meet. (The group sizes can be manipulated by the number of matching cards that are given out.)

3 a Ecoute: Qu'est-ce qu'ils vont regarder à la télé ce soir? (AT1/5)

Three teenagers discuss what they are going to watch. Pupils should listen and note down the programmes they decide to watch or to video.

Answers: 21 Jump Street (17.10 TF1), Des Chiffres et des lettres (17.05 France 2: enregistrer), Santa Barbara (19.00 TF1), Champs-Elysées à Poitiers (20.05 France 3)

– Qu'est-ce que vous voulez regarder à la télévision?
– Je sais pas. On pourrait regarder 21 Jump Street à 17.10h sur TF1.
– Ah oui, mais en même temps il y avait Des chiffres et des lettres sur France 2 à 17.05h.
– Bon, ben, si vous voulez, on peut regarder 21 Jump Street sur TF1 et enregistrer Des chiffres et des lettres.
– D'accord, et après, à 19h, on regardera Santa Barbara. J'ai loupé le dernier épisode.
– Si tu veux, et à 20.05h, on pourra regarder les Champs-Elysées sur France 3.
– Bon. Récapitulons.
– Bon. Sur TF1, 21 Jump Street à 17.10h. Et puis on enregistre Des chiffres et des lettres. Ensuite, on regarde Santa Barbara à 19h, et enfin, les Champs-Elysées à 20.05h.

b Trouve le bon titre pour chaque image. (AT3/2)

Vocabulary revision: pupils match the pictures and the words.

Answers: 1 un dessin animé, 2 la météo, 3 la pub, 4 les actualités, 5 une émission pour les enfants, 6 un documentaire, 7 une émission de sport, 8 un feuilleton

c A deux: Choisissez ce que vous allez regarder ce soir. Ce sont quelles sortes d'émissions? (AT2/3–4)

Pupils look at the schedule and choose three programmes to watch. They have to say what sort of programmes they are.

4 A deux: Choisissez une chaîne (BBC1 ou ITV etc.). Faites la liste des émissions de ce soir. Classez-les pour un ami français. (AT4/2–3)

Pupils need access to an evening's British television schedule (or they can make one up) from which to make a list of programmes and explain what they are for a French friend.

> At this point you could use the worksheets **Au choix 9 (Ecouter B** Extension), **18 (Lire C** Reinforcement) and **19 (Lire C** Extension); see below.

Mini-test 2
(AT2/3–4)

Models for revision are on **Mini-tests 1 & 2**.

Reinforcement and extension worksheets

**Au choix 8
(Ecouter B)
(AT1/3–4)**

1 & 2 Listening to descriptions of/opinions about chests of drawers and matching them to pictures.
3 Pupils give their own preference. (AT4/3–4)

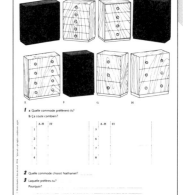

1 Quelle commode préfèrent-ils?

1 Je préfère la commode en pin, avec trois tiroirs, à 256F.
2 Je préfère la noire, trois tiroirs, à 238F.
3 Moi? La plus grande, cinq tiroirs, en noir, à 248F.
4 Uhm? En pin, quatre tiroirs, plus large, à 264F.
5 Trois tiroirs, en noir, à 238F.
6 Moi? Uh ... en noir, quatre tiroirs, la plus grande, à 240F.
7 Je voudrais trois grands tiroirs et ... en pin, à 280F.
8 Uhm. Quatre tiroirs, la plus petite et en pin, à 250F.

2 Quelle armoire choisit Nathaniel?
– Qu'est-ce que tu cherches?
– Une commode pour ma chambre.
– Quelle sorte de commode?
– Beh ... une commode.
– Combien de tiroirs?
– Je sais pas.
– Trois, quatre, cinq?
– Euh ... quatre!
– Grands ou petits?
– Grands!
– En pin ou en noir?
– Euh ... en pin.
– Voilà. Il te faut celle-ci ... Elle coûte 264F. Moi, je préfère celle avec cinq tiroirs en noir. Elle est moins chère. Elle coûte 248F.

Au choix 9 (Ecouter B) (AT1/4)
Listening exercises on leisure activities:
1 Filling in a grid.
2 Matching the recording to pictures.

1 Qu'est-ce qu'on fait ce soir?
1 – Alors, qu'est-ce qu'on fait ce soir?
  – Je sais pas. On pourrait aller au cinéma?
  – Ouais, d'accord.
  – On se donne rendez-vous à quelle heure?
  – Oh, disons dix-huit heures.
  – A dix-huit heures, d'accord. Et où?
  – Eh ben, devant le cinéma!
  – Pas de problème.
2 – Qu'est-ce qu'on fait ce soir?
  – Uhm, si on allait en discothèque?
  – Oui, pourquoi pas, euh … mais à quelle heure?
  – Vingt-deux heures?
  – Bon, d'accord, vingt-deux heures devant la discothèque.
  – D'accord.
3 – Qu'est-ce que tu fais ce soir?
  – Je sais pas, et toi?
  – Ben, moi, je voulais t'inviter à … à venir chez moi.
  – D'accord, et on écoutera la musique.
  – Ouais, bonne idee! Tu viens chez moi à quelle heure?
  – Bah … vingt et une heures.
  – Vingt et une heures? Oh, vingt et une heures trente, parce que je dois manger.
  – D'accord. A ce soir.

2 Qui parle?
1 – Tennis? Normalement, on pourrait dire que je suis sportive, mais pas le tennis. Je déteste le tennis!
2 – Du tennis? Je ne suis pas du tout sportive. J'aime danser, mais les sports … pas pour moi. Je préfère les activités plus culturelles, le cinéma, le théâtre …
3 – Tennis? Moi, sportif? Beh … je suppose. Mais j'ai toujours trop de devoirs.
4 – Tennis? Ben, tu vois, je dois aider à la maison.
5 – Tennis? Non. Ce soir, je fais mes devoirs et après je vais à la piscine avec Mélissa. C'est tout prévu.
6 – Tennis? Non. Je sors pas ce soir … ça veut dire que … je sors avec ma petite amie … mais je ne veux pas que tout le monde le sache. Chut! Il ne faut le dire à personne!
7 – Tennis? Bien sûr. Je veux bien.

Au choix 10 (Parler B) (AT2/3–4, AT4/3)
Information gap exercise on daily routine.

Au choix 11 (Parler B) (AT2/5, AT4/4–5)
Interviewing classmates about their daily routine.

Au choix 12 (Lire B) (AT3/3, AT4/4)
1 Daily routine: a text with pictures to complete.
2 Writing about daily routine based on pictures.

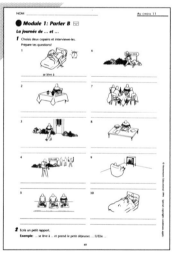

Au choix 13 (Lire B)
1 Daily routine: a first-person text to summarise in the third person. **(AT3/5, AT4/5)**
2 Putting the text in the past. **(AT4/5)**
3 Pupils describe their own routine (past tense). **(AT4/5–6)**

Au choix 18 (Lire C) (AT3/2–3)
Television programmes:
1 Matching words and pictures.
2 & 3 Classifying programmes from a French TV
schedule and finding English equivalents.

Au choix 19 (Lire C) (AT3/5–6)
Films:
1 & 2 Matching film descriptions to titles and
viewers.
3 Summarising one of the texts in English.

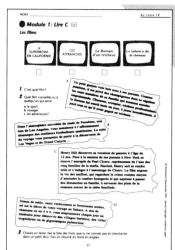

Récréation (Pupil's Book pages 18–19) (AT3/6–7)

Independent reading for interest. This is the
beginning of a cartoon story based on Jules
Verne's novel *Voyage au Centre de la Terre*. The
story is continued in Modules 2 and 3.

Le week-end dernier (Pupil's Book pages 20–21)

Main topics and functions	

Main topics and functions

- Talking about what you did at the weekend
- Saying what you have done to help at home

Other aims

- Developing fluency in talking about the past

Structures

- Perfect tense, first, second and third persons

  Je suis ...   *Il/Elle est allé(e) ...*
  Je n'ai rien fait   *Il/Elle n'a rien fait*
  J'ai ...   *Il/Elle a ... (fait ...)*

Vocabulary

aider/aidé
aller/allé(e)

donner/donné à manger aux animaux
faire/fait le ménage
jouer/joué
laver/lavé la vaisselle/la voiture
lire/lu
manger/mangé
mettre/mis la table
passer/passé l'aspirateur
remplir/rempli le lave-vaisselle
rentrer/rentré(e)
rester/resté(e)
sortir/sorti(e)
sortir/sorti le chien
travailler/travaillé
tondre/tondu le gazon
vider/vidé le lave-vaisselle/la poubelle

---

1 a Ecoute: Qu'est-ce qu'ils ont fait le week-end dernier? (1–6) (AT1/5, AT2/5)

Six French teenagers say what they did last weekend.

Support worksheet 5 (see page 22) has a grid to fill in.

Note les réponses.

Pupils listen and make notes, then compare their results afterwards (using the third person).

1 Moi, c'est Alexei. Le week-end dernier, je suis allé au restaurant. Puis, je suis allé nager. J'ai fait mes devoirs, j'ai aidé mes parents, et enfin, je suis allé au cinéma.

2 Moi, c'est Stan. Samedi dernier, j'ai aidé mes parents à laver la voiture. Après, je suis allé nager à la piscine de Mont Saint-Aignan. C'était super. Ensuite, samedi soir, je suis allé voir au cinéma Les Visiteurs. Je me suis couché vers euh ... minuit. Dimanche matin, je suis allé en vélo en forêt. Ensuite, j'ai fait du cheval.

3 Je m'appelle Jane. Samedi, je suis restée à la maison pour faire mes devoirs. Dimanche après-midi, j'ai regardé la télévision, et le soir, je suis allée au cinéma avec une amie. Ensuite, nous sommes allées manger au restaurant.

4 Je m'appelle Delphine. Le week-end dernier, je suis allée jouer au tennis avec des amis. Puis, je suis allée faire de l'équitation. J'ai failli tomber. Dimanche matin, je suis allée à la piscine. J'ai fait de la natation. Et dimanche après-midi, j'ai travaillé, car j'avais beaucoup de devoirs.

5 Moi, c'est Mathieu. Samedi dernier, j'ai beaucoup travaillé. Ensuite, je suis allé au restaurant et puis au cinéma avec des amis. Dimanche, je suis allé à la pêche et j'ai fait du tennis de table.

6 Moi, c'est Nathalie. Le week-end dernier, je n'ai absolument rien fait ... enfin, excepté ... une petite balade en vélo avec mes amies, mais sinon, j'ai dormi tout le dimanche. J'étais trop fatiguée.

b Regarde les 'photos'. Qu'est-ce que tu as 'fait' le week-end dernier? Enregistre un petit rapport. (AT2/5)

Guided speaking: pupils look at the pictures and say what they 'did' last weekend, as practice for the next exercise when they will be asked what they really did last weekend.

c Qu'est-ce que tu as fait le week-end dernier? Pose la question à cinq copains/copines et note leurs réponses. (AT2/5)

Pupils go round the class asking five others what they did last weekend and writing down their replies.

2 a J'ai aidé à la maison. Quelles images correspondent aux phrases suivantes? (AT3/3)

The first task is to work out what the phrases mean by matching the texts to the pictures.

b Ecoute: Qu'est-ce qu'ils ont fait pour aider à la maison? (1–6) (AT1/4)

Now pupils listen to six French teenagers saying what they did to help last weekend.

Support worksheet 5 (see page 22) has a grid to fill in.

Pupils should listen and note down what they did, and compare answers with other members of the class.

1 Je m'appelle Simon. Pour aider à la maison, j'ai rempli le lave-vaisselle, puis je l'ai vidé, j'ai tondu le gazon et j'ai lavé mon vélo.

2 Moi, c'est Sylvain. J'ai passé l'aspirateur, ensuite, j'ai fait le ménage, et ... et puis, j'ai sorti le chien.

3 Moi, je m'appelle Emilie. Pour aider mes parents, j'ai passé l'aspirateur, ensuite j'ai sorti le chien, puis j'ai préparé le déjeuner.

4 Je m'appelle Delphine. Pour aider à la maison, j'ai vidé la poubelle, j'ai mis la table, et j'ai donné à manger aux lapins.

5 Moi, je m'appelle Arthur. D'abord, j'ai lavé la voiture, et puis, j'ai mis la table et préparé le déjeuner.

6 Je m'appelle Nicolas. Moi, je n'ai absolument rien fait!

3 **a A deux: Qu'est-ce qu'ils ont fait pour aider à la maison? (AT2/4–5)**

This is a guided speaking exercise using the third person.

b Et toi? Qu'est-ce que tu as fait pour aider à la maison? (AT2/4–5)

Pupils practise saying what they did last weekend as preparation for homework.

Verbs 3 revises the perfect tense, making pupils aware of how it is formed and using terms such as 'infinitive' and 'past participle'. The sheet can be filled in and kept as an aide-mémoire. If pupils have difficulty with the concept, concentrate on rote learning the first person and let them look up the other forms as and when needed.

Verbs 4 is an exercise based on the use of the first person of the present and perfect tenses. Most pupils can be expected to complete this, using reference material, and keep it as an aide-mémoire.

Chez toi (AT2/4–6, AT4/4–6)

Pupils make a written account and/or a recording of their own last weekend's activities.

❽ Un sondage (Pupil's Book pages 22–23)

<table>
<tr><td>

Main topics and functions

- Carrying out a survey and writing a report on the findings

Other aims

- Asking questions
- Developing language awareness

Structures

- Recognising and using the *tu* and *vous* forms *Aimes-tu ...?/Aimez-vous ...?*

</td><td>

Vocabulary

un sondage
*sonder
*un sondeur/une sondeuse
tutoyer
vouvoyer

s'occuper de la famille
pour cent
un thème
travailler à plein temps

</td></tr>
</table>

1 Fermez le livre ou cachez la page! Combien de questions est-ce que vous pouvez formuler en deux minutes? (AT4/3–4)
Pupils are asked to think of as many questions as they can write down in two minutes. They should then look at the wording of questions. The questions could then be grouped into those which start with a question word (e.g. *Qui? Qu'est-ce que ...? Où? Quand?*) and those which begin with a verb (e.g. *Aimes-tu ...?*) etc. Discuss which question forms are suitable for carrying out a survey.

2 a Ecoute: Tutoyer ou vouvoyer? (1–10) (AT1/2)
Pupils listen to ten questions and write down T or V according to whether the *tu* or *vous* form is being used.

Answers: 1T, 2T, 3V, 4V, 5V, 6T, 7T, 8T, 9V, 10T

1 Où habites-tu?
2 Quel âge as-tu?
3 Préférez-vous boire du thé ou du café?
4 Aimez-vous la musique hard?
5 Avez-vous des tomates?
6 As-tu fait du judo?
7 Préfères-tu les maths ou les sciences nat?
8 Aimes-tu manger au fast-food?
9 Avez-vous un animal?
10 Comment trouves-tu mon nouveau pull bleu?

b Ils tutoient ou vouvoient? Ecris la forme qui manque. (AT3/2, AT4/3)
Pupils look at the list of questions and decide whether each one is the *tu* or *vous* form. Then they write the form which is missing.

Answers:
1 T – vous habitez
2 T – vous portez
3 V – Préfères-tu

4 T – Avez-vous
5 V – As-tu
6 V – ton anniversaire
7 V – Tu es
8 T – Aimez-vous
9 V – Tu pars
10 V – tu as

3 Que font nos parents?
a Ecoute: Les résultats du sondage de Nicolas. Copie et complète le texte. (AT1/4)
Listen and make notes and copy and complete the conclusion.

Il y a 50 pères qui travaillent,
et 3 qui sont au chômage.
Parmi ceux qui travaillent,
36% travaillent dans un bureau
30% travaillent dans une usine ou un atelier
10% travaillent à leur compte
24% ont un autre métier.

b Regarde le graphique et écris une conclusion. (AT4/4–5)
Pupils look at the pie chart and write up the results.

Answers:
Il y a 14 mères qui travaillent à plein temps et 7 qui travaillent à mi-temps.
3 sont au chômage
et 12 s'occupent de la famille.

4 Fais un sondage. (AT2/3–4, AT4/4–5)
Pupils choose a theme of their own and prepare up to five questions to put to twelve people (30° on the chart per person) or twenty-four people (15° per person). They then have to draw a graph and write up the results.

At this point you could use the worksheets **Au choix 14 (Ecouter C** Reinforcement) and **15 (Ecouter C** Extension), and **Au choix 16 (Parler C** Reinforcement) and **17 (Parler C** Extension); see pages 34–35 below.

Chez toi (AT2/4–5, AT4/4–5)

Pupils finish off the written report or record an oral one on their own survey.

❾ *Page de lecture* *(Pupil's Book pages 24–25)*

Main topics and functions

• Revision and extension

Other aims

• Reading for interest
• Extended reading
• Simple imaginative writing

Vocabulary

fréquenter
lui (= to her)
*oser
*rougir
les voisins (de droite/de gauche)

---

1 a A deux: Read about Coralie's neighbours. (AT3/5)
Pupils read the first passage and work together to try to discover the answers to the questions.

b Sébastien's neighbours (AT3/5)
They now do the same with the second passage and should realise that the boy and girl are each other's neighbours.

2 Jeu des 'conséquences' (AT4/3–4)
Pupils can play consequences in pairs or small groups. To play consequences, each person needs a piece of scrap paper. They write a boy's name at the top and fold the paper over so that the name cannot be seen. They then pass it on to the next person, who adds a girl's name. They then fold that over and pass it on again ... When they have finished, they should each have a 'story line' to recount, for example: *(Michael Jackson) et (Princess Di) se retrouvent à (EuroDisney). Il dit: 'On va au cinéma?' Elle dit ... etc.*

Chez toi (AT4/4–6)
Pupils write their own 'consequences' story.

☞ This can be done using the same simple language as in the game of consequences.

〰 Some pupils may be able to turn it into a short story.

Reinforcement and extension worksheets

☞ **Au choix 14 (Ecouter C)**
Surveys:
1 Colouring a pie chart according to the results described. **(AT1/4)**
2 Writing up the results based on a pie chart. **(AT4/4)**

▣ **1 Nos couleurs préférées. Ecoute les résultats du sondage de Murielle et colorie le camembert.**
– Bon ... On est combien d'élèves dans la classe?
– 36.
– Euh, 36. Et combien préfèrent le bleu?
– 9. Colorie neuf segments en bleu.
– Et le noir?
– 8.
– Et combien préfèrent le rouge?

– 7.
– Et quelle autre couleur?
– Le vert.
– Combien?
– 4.
– Et ...?
– Le jaune.
– Je n'ai pas de crayon jaune.
– Prends l'orange.
– Combien?
– 4 aussi.
– Et encore ...?
– Le rose: 2, et le dernier segment ... turquoise.
– Mais il me reste deux segments.
– Bon, je répète: bleu 9; noir 8; rouge 7; vert 4; jaune 4; rose 2; violet 1; turquoise 1.
– Ah, c'est le violet. Tu ne l'avais pas dit.
– Si, je l'ai dit! C'est toi qui te trompes.
– Oh, là, là!!!

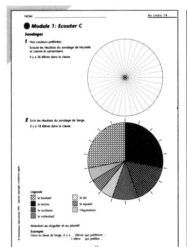 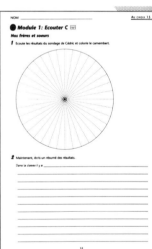

〰 **Au choix 15 (Ecouter C) (AT1/5, AT4/4–5)**
1 & 2 Colouring a pie chart according to the survey results described, and writing a summary of the results.

▣ **1 Ecoute les résultats du sondage de Cédric et colorie le camembert.**
– Bon, il y a combien d'enfants dans la classe?
– J'en ai compté 33, plus Aurélie qui n'est pas là, et toi et moi.
– Alors, ça fait 36. C'est facile: 10 degrés par personne.
– Bon. Fais une liste. 8 ont un frère.
– C'est faux! J'en avais compté 9.
– Ah oui, avec moi! J'ai un frère, moi aussi. 9 ont

un frère.
- 6 ont une soeur.
- 6 ont une soeur. Et 5 ont un frère et une soeur.
- M'as-tu comptée? Parce que j'ai un frère et une soeur.
- Euh, non ... euh ... 6 ont un frère et une soeur, alors.
- Oui, c'est ça. 6 sont fils ou fille unique.
- 6 sont fils ou fille unique. 2 ont deux soeurs.
- Oui, 2 ont deux soeurs.
- 4 ont deux frères.
- C'est ça: 4 ont deux frères.
- Et 2 ont deux frères et une soeur.
- 2 ont deux frères et une soeur. Ça fait 35. Et Aurélie?
- Elle est fille unique.

Au choix 16 (Parler C) (AT2/3–4)
Interviewing a partner about personal details and preferences.

Au choix 17 (Parler C) (AT2/3–5)
Interviewing a classmate and an adult about personal details (using *tu* and *vous*).

For **Au choix 18 (Lire C)** and **Au choix 19 (Lire C**  **)** see page 29 above.

Bilan

This appears on the sheet **Bilan 1** so that partners can test each other and tick off and initial items. There is a second set of boxes for the teacher to initial and space for comments.

Petit portrait (AT2/3–6, AT4/3–6)

This forms the basis of the written part of the *Contrôle* (see notes below). It can also be used as a stimulus for oral work. Ask pupils to prepare and give a short talk in either the first or the third person.

Contrôle

A **Listening: Core Level**

This is on the sheet **Contrôle 1A.**

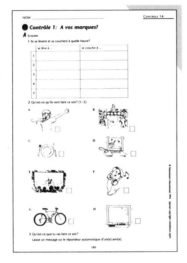

1 Speakers say what time they get up and go to bed. Pupils note down the times. **(AT1/3)**

Answers:

1	6.30/22.30	(2)
2	7.00/21.30	(2)
3	7.15/22.00	(2)
4	7.10/21.00	(2)
5	6.45/10.15	(2)

Total: 10 marks

2 Speakers make suggestions about what to do in the evening. Pupils match the dialogues to the symbols. There are three distractors. **(AT1/4)**

Answers: 1C; 2G; 3A; 4E; 5D

Total: 10 marks

3 Pupils record a message for a friend about what they are going to do this evening. Preparing pupils for answering in the target language at a higher level. **(AT2/4–5)**

1 Ils se lèvent et se couchent à quelle heure?
1 – Tu te lèves à quelle heure le matin?
   – Le matin, je me lève à six heures et demie.
   – Et tu te couches à quelle heure?
   – Le soir, je me couche à vingt-deux heures trente.
2 – ... Quand je vais à l'école, je me lève à sept heures. ... Je me couche vers neuf heures et demie.

3 – ... Je me lève à sept heures et un quart. ... Ça dépend. Le plus souvent, c'est vingt-deux heures.
4 – ... Le matin, je me lève à sept heures dix. ... Oh, vers vingt et une heures.
5 – ... Il sonne vers sept heures moins le quart. ... Je m'endors vers dix heures et quart.

2 Qu'est-ce qu'ils vont faire ce soir?
1 – Qu'est-ce qu'on va faire ce soir?
   – On pourrait aller manger au fast-food?
   – Ouais ... mais je n'ai pas d'argent.
   – Bon, je t'invite.
2 – On va faire une balade en vélo. Tu viens?
   – Oui, pourquoi pas?
3 – Qu'est-ce que tu vas faire ce soir?
   – Rien.
   – Tu veux venir chez moi, écouter de la musique?
   – Non. Je suis trop fatiguée.
4 – On pourrait aller jouer au ping-pong ce soir ...
   – Non, je ne peux pas. J'ai trop de devoirs ... et après, on va au cinéma avec Isabelle. C'est son anniversaire.
5 – Qu'est-ce que tu fais ce soir? Tu sais, j'ai un nouveau jeu pour l'ordinateur!
   – C'est quoi?
   – 'Dinosaur' ou quelque chose comme ça.
   – Qu'est-ce qu'il faut faire?
   – Il faut trouver la bonne route. Tu veux venir ce soir?
   – Oui. Je veux bien.

A **Listening: Extension Level**

This is on the sheet **Contrôle 1A** .

1 Speakers say what they do to earn their pocket money and how much they get.
Pupils make brief notes. **(AT1/4)**

(16 marks:
Emma 1 + 2,
Sarah 1 + 4,
Eric 2 + 2,
Christophe 1 + 3)

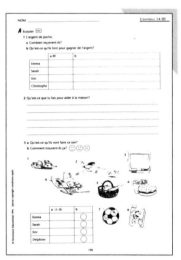

Answers:

	a FF	**b**
Emma	50	vaisselle, chien
Sarah	60	vaisselle, courses, aspirateur, met la table
Eric	50–60	lave la voiture, travaille dans le jardin (tond le gazon)
Christophe	100	vide le lave-vaisselle, cherche bouteilles à la cave, vide la poubelle

2 Pupils write down what they do to help at home. **(AT4/3–4)** (10 marks)

3 Pupils listen to find out what the speakers are going to do and what they feel about it. **(AT1/5)** (16 marks: **a** = 12, **b** = 4)

Answers:

	a (1–8)	**b**
Emma	2,4,5	☹
Sarah	1,5,4	😐
Eric	7	🙂
Delphine	1,2,4,5,6	🙂

Question 1: Total 16 marks (AT1/4)

Question 2: Total 10 marks (AT4/3–4)

Question 3: Total 16 marks (AT1/5)

1 L'argent de poche
a Combien reçoivent-ils?
b Qu'est-ce qu'ils font pour gagner de l'argent?

1 – Emma, qu'est-ce que tu fais pour gagner de l'argent?
 – Euh, je fais la vaisselle et je sors le chien.
 – Tu gagnes combien pour ça?
 – Cinquante francs.
2 – Sarah?
 – Moi, j'aide à la maison: je lave la vaisselle, je vais faire les courses aux magasins, je passe l'aspirateur, et aussi, parfois, je mets la table. ... Oui, je gagne environ soixante francs.
3 – Eric?
 – Oh, moi, je ne fais rien, mais de temps en temps, je lave la voiture de mon père et je travaille dans le jardin. Je tonds le gazon, par exemple, si mon père insiste. ... Oui, cinquante ou soixante francs.
4 – Christophe?
 – Ben, moi, je devrais aider ma mère, soi-disant vider le lave-vaisselle, chercher les bouteilles à la cave, vider la poubelle, enfin, etc., mais normalement, je persuade mon frère de le faire pour moi. Il est plus jeune que moi! ... Bien sûr! Je suis payé cent francs.

3 a Qu'est-ce qu'ils vont faire ce soir?
 b Comment trouvent-ils ça?

1 – Emma, qu'est-ce que tu vas faire ce soir?
 – Ben, j'ai mes devoirs. Nous avons un contrôle en sciences nat demain.
 – Tu ne sors pas?
 – Non. Pourquoi?
 – J'ai besoin que tu m'aides un peu.
 – Oui, papa. Qu'est-ce que tu veux?
 – Tu pourras sortir le chien et ...
 – Et ...?
 – Et passer à la boulangerie.
 – Oh, zut alors!
2 – Allô, Sarah? C'est toi?
 – Oui, maman.
 – Tu peux me vider le lave-vaisselle?
 – Euh, oui, d'accord.
 – Bon, as-tu faim?
 – Oui.

– Alors, on va manger le couscous. Tu peux aller me chercher de la salade et du pain?
 – Oui, si tu veux.
 – Qu'est-ce que tu fais ce soir?
 – Rien. J'ai trop de devoirs.
3 – Eric! Tu es là?
 – Oui.
 – T'as faim?
 – Oui, un peu, mais je vais jouer au foot ce soir. Il ne faut pas trop manger avant de jouer.
 – T'as pas de devoirs à faire ce soir?
 – Non. J'ai tout fini!
4 – Delphine, tu sors ce soir, ou ... ou pas?
 – Oui, avec mes copains. On va au fast-food. C'est l'anniversaire de Michel. Il nous a invité.
 – Ah, ben oui, mais t'as fini tes devoirs?
 – Non, mais il ne m'en reste pas beaucoup. Je vais les faire tout de suite.
 – Ah, tu pourrais m'aider à faire la vaisselle?
 – Oui, bien sûr. Tu veux que je sorte le chien aussi?
 – Ah oui, ce serait gentil. Tu pourrais aller me chercher du pain et des oeufs.
 – O.K.

𝐵 Reading: Core Level
This is on the sheet **Contrôle 1B.**
There are four texts written by boys giving personal information about themselves and their families.

1 Pupils identify the six people in the pictures. **(AT3/4)**

Answers: A Paul;
B Bernard;
C Mélissa;
D Amélie;
E Stéphane; F Benjamin (6 marks)

2 Pupils identify the parents of Stéphane, Bernard and Paul. **(AT3/4)**

Answers: A Stéphane; C Bernard; D Paul (3 marks)

3 Pupils identify the right home for each family. **(AT3/4)**

Answers: B Stéphane; C Bernard; E Paul (3 marks)

Questions 1–3: Total 12 marks (AT3/4)

B Reading: Extension Level

This is on the sheet **Contrôle 1B** and is a text about the history of Guadeloupe.

1 Pupils label the pictures, choosing words from the text. (AT3/5)

Answers: 1 un volcan; 2 la canne à sucre;
3 des bananes;
4 la forêt tropicale;
5 une cascade (5 marks)

2 Pupils choose the correct completion for the sentences from those given. Numbers 9 and 10 require pupils to make deductions. (AT3/5)

Answers: 1b; 2b; 3b; 4b; 5b; 6a; 7b; 8a; 9b; 10b (10 marks)

Questions 1–2: Total 15 marks (AT3/5)

C Writing: Core and Extension Levels

The stimulus for the writing *Contrôle* is the *Petit portrait* on page 27 of the Pupil's Book. A range of activities can be set using this stimulus.

1 Ecris un texte pour chaque photo. (AT4/3)
Pupils write captions for the pictures.

2 Présente Gilbert. (AT4/4–5)
Pupils write about Gilbert in the first or third person. They should produce at least four sentences.

Level depends on outcome.

3 Ecris une lettre à Gilbert. (AT4/4–6)
Pupils write a letter to Gilbert. Put the following cues on the board or OHP:
Famille
Maison
Activités préférées
Copains/copines
Décris tes vacances.
Pose au moins deux questions à Gilbert.

Level will obviously depend on outcome. For level 5 and above pupils should use more than the present tense.

Module 2: S.O.S. Terre! *(Pupil's Book page 28)*

Unité	Main topics and functions	Pos Part I	Pos Part II	Skills	Grammar
La planète terre (pp.28-29)	Learning about the world Explaining where someone is from	1a, 3d	C, E	L S R W Discussing in groups and comparing results	The comparative *plus* *moins*
Les quatre saisons (pp.30-31)	Talking about the seasons	1i, 2n	C	L S R W Conducting a survey and reporting back Reading for interest	*au printemps,* *en été,* *en automne,* *en hiver*
J'habite en Afrique (pp.32-33)	Learning about way of life in other Francophone countries	2j, 4c, 4d	E	L S R W Making comparisons Developing reading skills	*en France* *au Burkina Faso*
Récréation (pp.34-35)	Revision	1g	B	L S R Independent reading for interest (magazine items and quizzes)	
Les grands milieux naturels du monde (pp.36-37)	Developing awareness of other parts of the world and of environmental and ecological problems Colours (revision and extension)	1h, 3e	C	L S R W	*On détruit* *On utilise ...* etc.
Les forêts tropicales (pp.38-39)	Talking about environmental problems	2f, 3g	C	L S R W Developing translation skills	*On brûle ...* *On abat ...* *On doit ...* *On ne doit pas ...*
L'environnement en danger! (pp.40-41)	Talking about measures to improve the environment Saying what you are not allowed to do (revision and extension)	1j, 2e	C	L S R W Carrying out creative activities in a group	The imperative form *Il est défendu/ interdit de ...* *On ne doit pas ...*
Récréation (pp.42-43)	Revision	4e		R Independent reading for interest (cartoon story)	
J'habite ... (pp.44-45)	Talking about home town and area (revision and extension)	2j, 3f	C	L S R W Preparing a short talk Extended writing	Adjectival agreement and position of adjectives
Projet: Une ville imaginaire (pp.46-47)	Saying what there is in a town and where (revision and extension)	1d, 2a	C	L S R W Carrying out a creative activity in a group	*Il y a un/une ...* *pour ceux qui ...* *entre* *à côté de ...*
Page de lecture (pp.48-49)	Revision and extension	2k, 2l	C	R Reading for interest (magazine items)	Perfect and imperfect tenses
Bilan (p.50)	Revision			S	
Petit portrait (p.51)	Revision	3g	A, E	S W	
Contrôle	Revision			L R W	

❶ *La planète terre* (Pupil's Book pages 28–29)

Main topics and functions

- Learning about the world
- Explaining where someone is from

Other aims

- Discussing in groups and comparing results

Structures

- Using the comparative
  plus
  moins

Vocabulary

*all vocabulary receptive only

les océans:
  l'Atlantique
  l'océan glacial Antarctique
  l'océan glacial Arctique
  l'océan Indien
  le Pacifique

les continents:
  l'Afrique
  l'Amérique
  l'Antarctique
  l'Australie
  l'Eurasie (l'Europe et l'Asie)

un(e) Aborigène
un(e) Amérindien(ne)
un(e) Chinois(e)
un ours blanc
un pingouin
un(e) Zoulou(e)

le cercle polaire nord
le cercle polaire sud
le tropique du Cancer/du Capricorne
l'équateur
l'hémisphère
le méridien de Greenwich
un méridien de longitude
un parallèle de latitude

1

a Travaillez en groupe. C'est quel continent? C'est quel océan? Mettez les continents et les océans dans l'ordre du plus grand au moins grand. (AT2/4–5)

Working in groups using the target language. This is an opportunity for discussion using more colloquial expressions. First pupils should discuss what target language they are likely to need to complete the task (*Comment on dit:* I agree/that's not right *en français?*) Make sure they have access to useful words and phrases if they are going to need support, e.g. *C'est vrai; Ce n'est pas vrai; Je suis d'accord; Je ne suis pas d'accord, moi.*

This might be an opportunity to introduce the expressions *Il/Elle a raison; Il/Elle a tort.*

After a few minutes, let different groups put their answers up on the board and let the others discuss whether they agree or not: *Qui pense que l'Atlantique est l'océan le plus grand?* etc.

Answers: 1 l'Amérique, 2 l'Eurasie, 3 l'Afrique, 4 l'Australie, 5 l'Antarctique, A l'océan glacial Arctique, B le Pacifique, C l'Atlantique, D l'océan Indien, E l'océan glacial Antarctique

b Ecoute et vérifie. (AT1/4–5)

Pupils will be expected to listen and get the order right.

Pupils might be expected to note down at least some of the surface areas mentioned. They might write them up on the board and then the class listens again to see if the others think they are right.

If that is too hard, put some of the numbers on the board for pupils to recognise which ocean or continent each number applies to when they hear it.

> Le plus grand continent, euh ...
> c'est le numéro 2, le continent euro-asiatique: 54 000 000 km²;
> puis le numéro 1, le continent américain: 42 000 000 km²;
> et le 3, c'est le continent africain, 29 800 000 km²;
> suivi par le numéro 5, le continent antarctique: 14 000 000 km²;
> et 4, le continent australien: 8 000 000 km².
> L'Europe seule a 10 000 000 km² et l'Amérique du Nord seule fait 22 000 000 km².
> Bon, maintenant, les océans:
> Le plus grand c'est le Pacifique, B, avec 166 000 000 km²;
> puis l'Atlantique, C, avec 87 000 000 km²;
> et l'océan Indien, D: 73 000 000 km²;
> puis l'océan glacial Antarctique, E: 37 000 000 km²;
> et l'océan glacial Arctique, A: 13 000 000 km².

2

a A deux: Qui sont-ils? Où est-ce qu'ils habitent? (AT2/3–4)

This is a simple guided speaking exercise using the names of the continents. Pupils might be asked to make up some similar questions of their own:

> *Est-ce que quelqu'un peut en donner d'autres exemples? Le kangourou, par exemple? La girafe, l'éléphant ...?*

b Ecoute et vérifie. (AT1/2)

> A Le Chinois habite en Asie.

B Le Zoulou habite en Afrique.
C L'amérindienne habite en Amérique du Nord.
D Le pingouin habite dans l'Antarctique.
E Les Aborigènes habitent en Australie.
F L'ours blanc dans l'Arctique.
Et moi? J'habite en Europe. Et toi?

c Où est-ce tu habites? (AT2/3)

Pupils should be able to say in which continent they live and, if appropriate, which they are from.

3 a Fais correspondre à chaque nom une lettre. (AT3/2)

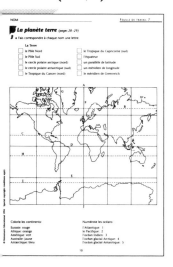

This exercise is on **Support worksheet 7**. Pupils find the correct word or phrase for each letter and write down the answers or fill in the names on the map. This should not be too difficult as the words are mostly cognates. The answers are on the tape.

b Ecoute et vérifie. (AT1/3

– C'est quoi, A?
– C'est le pôle Nord. Et B?
– C'est le cercle polaire arctique. Et C?
– C'est le tropique nord, du Cancer. Et D?
– C'est l'équateur. E?
– Ça? Euh, c'est un parallèle de latitude. Et F?
– C'est le méridien de Greenwich. Et G?
– C'est un parallèle de longitude.
– Non. On appelle ça un méridien, pas un parallèle. Les parallèles sont autour de la terre, parallèles à l'équateur.
– Et H?
– C'est le tropique du Capricorne. Et I?
– C'est le cercle polaire antarctique, et J, c'est le Pôle Sud.

c A deux: Où se situe ...? (AT2/3–4)

Pupils work together, asking each other where different places are. This could then be developed into a group, knockout or team game. Each pair prepares three questions and answers (so that they have alternative questions if someone else asks the same one) and they then take turns to put their questions to a pair from the opposing group/team. The two winners (or winning pairs) could take part in a Mastermind-type contest to see how many they can answer in a designated time (e.g. 1 minute) with different people putting the questions.

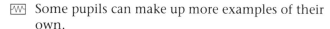

At this point you could use the worksheet **Au choix 24 (Lire A** Reinforcement); see page 46 below.

Chez toi (AT2/3–4, AT4/3–4)

Pupils have to describe where various places are situated and where they themselves live. Using the model given in exercise 3, they should be able to say which hemisphere and which part of the globe or continent each is in.

Some pupils can make up more examples of their own.

② *Les quatre saisons* (Pupil's Book pages 30–31)

Main topics and functions

- Talking about the seasons

Other aims

- Conducting a survey and reporting back
- Reading for interest

Structures

au printemps
en été
en automne
en hiver

Vocabulary

les quatre saisons: *toujours*
le printemps   *souvent*
l'été   *quelquefois*
l'automne   *ne ... jamais*
l'hiver
la saison des pluies
la neige

s'endormir
une feuille
gelé

FOR THE NEXT UNIT (UNIT 3) IT WILL BE
USEFUL TO HAVE A MAP OF AFRICA.

1 **A deux: Lisez et comprenez. (AT3/4)**
a A tour de rôle, chacun(e) lit une phrase.
For fluency practice in reading.

Pupils should build up to reading the whole
passage in turns.

Make sure that pupils understand the meaning
of the text by asking *'Je n'ai jamais vu de neige':
Qu'est-ce que ça veut dire en anglais?* or use the
technique of having pupils write words they
don't know on the board and letting others
come out and write the English beside them.

**b A tour de rôle, posez une question ou
répondez à une question.**
Checking comprehension of the text.

Answers: 1 l'hiver, le printemps, l'été et
l'automne, 2 en Guadeloupe, 3 près du tropique
nord, 4 il fait toujours chaud, 5 – , 6 *see below.*

The last question takes them back to Suliman
(p.4) who lives in Burkina Faso, in Central
Africa, between the tropic of Cancer and the
equator. Here it is very hot and sunny, but in
the wet season it rains most days at about three
o'clock in the afternoon and they have very
violent storms.

2 **a A deux: C'est quelle saison? (AT2/2)**
The aim of the exercise is to make sure that
pupils can find the words in the text above and
say them. This exercise is particularly for those
who found the text too long to read.

Answers: A l'hiver, B le printemps, C l'été,
D l'automne

b Ecoute: C'est quelle saison? (1–13) (AT1/4)
Pupils have to listen and work out which
season is being hinted at.

Answers: 1 hiver, 2 été, 3 automne, 4 été, 5
printemps, 6 automne, 7 été, 8 hiver, 9 été, 10
automne, 11 printemps, 12 hiver, 13 automne

Some pupils might wish to offer alternative
suggestions, e.g. *J'aime les couleurs des feuilles au
printemps, parce que j'aime le vert.*

1 Je fais de la luge et du ski.
2 On fait du camping et on mange dehors.
3 On cueille les pommes et les poires.
4 Je fais de la plongée et de la natation.
5 Les premiers fruits chez nous sont les cerises.
6 J'adore les couleurs des feuilles.
7 Il fait chaud!
8 Il faut porter des vêtements chauds!
9 Vivent les grandes vacances!
10 Il fait souvent du brouillard.
11 Les fleurs commencent à pousser.
12 Il gèle.
13 Oh, là, là! C'est la rentrée!

**c A deux: Choisissez une saison. Faites une liste
de mots associés à cette saison. (AT4/2)**
Pupils can work individually, in pairs or in
groups to make a list of words.

Put the four headings on the board and let
pupils come out and write words in the
different lists. Check that everyone knows the
meaning of all the words. If dictionaries are
available, let pupils look words up for
themselves. Then let them choose a list of
words to practise reading out.

3 **Ecoute et lis. (AT1/5, AT3/5)**
Reading and listening for interest. This can be
used for individual, paired or group
pronunciation practice or choral speaking. Pairs
or groups take turns to say different lines. They
could start by saying lines alternately, but then let
them play around with it and decide how to
divide the lines up.

Other pupils might like to choose and illustrate
different lines from the poem.

▬ ▌ See page 31 of the Pupil's Book.

4 **A deux: Vrai ou faux? Prépare huit phrases pour ton/ta partenaire. (AT2/3–4)**

To develop oral fluency and get used to the forms *en hiver, au printemps*, etc., pupils are asked to make true/false statements for their partners. This can then be played as a team game.

5 **Fais un sondage en classe. Choisis un thème et dessine un graphique. Mets tes conclusions sur l'ordinateur. (AT2/3–5, AT4/3–5)**

Pupils have to choose a question, carry out a survey and write up their results.

At this point you could use the worksheets **Au choix 20 (Ecouter A** Reinforcement) **and 21 (Ecouter A** Extension), **Au choix 22 (Parler A** Reinforcement) **and 23 (Parler A** Extension), and **Au choix 25 (Lire A** Extension); see pages 45–46 below.

Chez toi (AT4/3–4)
This is a written version of exercise 4.

③ J'habite en Afrique *(Pupil's Book pages 32–33)*

Main topics and functions	Vocabulary
• Learning about way of life in other Francophone countries	*all vocabulary receptive only
Other aims	*le climat*
• Making comparisons	*faire le feu*
• Developing reading skills	*les habitants*
Structures	*jumelé(e)*
	le mil (millet)
en France	*s'occuper des animaux*
au Burkina Faso	*un puits*
	sain(e)
	une saison sèche
	une saison des pluies
	la zone tropicale

1 a Lis et écoute. (AT1/5, AT3/5)

This is an extended reading exercise. The first task is just to listen to the tape and follow the text. Let pupils work on the text for a few minutes individually, then come out and write on the board any words they don't know. Others can then put the English beside them. Help them to recognise cognates and make deductions if necessary.

Support worksheet 8 has the gapped text for pupils to complete while listening. The missing words are given.

Go through the text picking out words they do know. Then go through it again looking for words they can guess. Have a map available so that you can show where Burkina Faso is.

Some pupils could practise recording a paragraph. Others could use the text as a model for a recording about their own area.

See page 32 of the Pupil's Book.

b A deux: Choisissez un titre pour chaque photo parmi les phrases soulignées. (AT3/5)

This is a simple comprehension exercise.

Answers: A je m'appelle Bacary, B le feu,
C les voici qui préparent le mil, D voici ma maison, E quatre de mes soeurs, F voici Valérie, G planter des arbres, H Dédougou

c A deux: A tour de rôle, posez une question et répondez à une question. (AT3/5)

To get pupils used to asking and answering questions, they should read them out and answer them alternately. They can then redo them the other way round, so that they practise all the questions and all the answers.

Answers:
1 Où habite Bacary? A Douroula au Burkina Faso.
2 Où se situe ce pays? En Afrique du nord-ouest.
3 Comment s'appelle la capitale? Ouagadougou.
4 Il y a combien d'habitants? Huit millions.
5 Quelle est la langue officielle? Le français.
6 Bacary a combien de frères et soeurs? Seize.
7 Comment s'appelle la ville la plus proche? Dédougou.
8 Comment est le climat? Sain, ensoleillé, chaud et sec.

Pupils are asked to prepare two more questions themselves for a partner.

2 A deux: Faites une liste des différences entre la France et le Burkina Faso. (AT4/3–5)

This is a joint writing activity. The finished work could be illustrated and displayed. Some pupils might write a short paragraph about the differences and keep it in their folder as a record of a factual style of writing.

Pupils can make comparisons between other countries, e.g. France and England; England and Australia, etc.

At this point you could use the worksheets **Au choix 26** (Ecouter B Reinforcement) and **27 (Ecouter B** Extension) and **Au choix 35 (Parler C** Extension); see below.

Mini-test 3
(AT2/3–6)

The sheet **Mini-tests 3 & 4** has models of the language needed for this test.

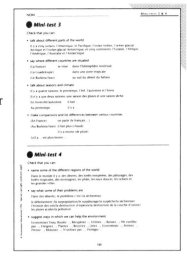

Reinforcement and extension worksheets

Au choix 20 (Ecouter A) (AT1/4)
Countries of the EC: colouring in flags and noting down capital cities and population figures.

- C'est quel pays?
- C'est le Royaume-Uni.
- Et comment est le drapeau?
- Il est bleu, rouge et blanc.
- Et la capitale, c'est quoi?
- C'est Londres.
- Et ... combien y a-t-il d'habitants?
- Il y a 57 millions d'habitants.
- 57 millions. ... C'est quel pays?
- Maintenant, c'est la France.
- Le drapeau est bleu à gauche, blanc au milieu et rouge à droite. Et la capitale, c'est Paris.
- Oui, et il y a 56 millions d'habitants.
- 56 millions d'habitants. Maintenant, c'est quel pays?
- C'est l'Italie.
- Et le drapeau est comment?
- Il est vert à gauche, puis blanc, et enfin rouge.
- Quelle est la capitale?
- C'est Rome.
- Combien y a-t-il d'habitants?
- Il y a 57 millions 500 mille habitants.
- 57 millions 500 mille. C'est quel pays?
- Maintenant, c'est l'Allemagne.
- Et comment est le drapeau?
- Il est noir en haut, puis rouge, et jaune en bas.
- Quelle est la capitale?
- C'est Berlin.
- Et quelle est la population?
- Il y a 78 millions d'habitants.
- 78 millions. Et maintenant, c'est quel pays?
- Maintenant, c'est l'Espagne.
- Comment est le drapeau?
- Il est rouge en haut, jaune et rouge.
- Et la capitale, c'est quoi?
- La capitale, c'est Madrid.
- Et il y a combien d'habitants?
- 39 millions.
- 39 millions d'habitants. Et ... c'est quel pays?
- C'est la Belgique.
- Et ... comment est le drapeau?
- Il est noir à gauche, puis jaune, et rouge à droite.
- Quelle est la capitale?

- C'est Bruxelles.
- Et il y a combien d'habitants?
- 10 millions.
- 10 millions.
- Maintenant, c'est les Pays-Bas.
- Comment est le drapeau?
- Rouge en haut, puis blanc et bleu.
- Et quelle est la capitale?
- C'est Amsterdam.
- Et il y a combien d'habitants?
- Il y a 15 millions d'habitants.
- 15 millions. Et ... c'est quel pays?
- C'est le Portugal.
- Et le drapeau est comment?
- Il est vert à gauche et puis rouge.
- Et quelle est la capitale?
- La capitale, c'est Lisbonne.
- Et combien y a-t-il d'habitants?
- 10 millions.
- 10 millions d'habitants. C'est quel pays?
- Maintenant, c'est la Grèce.
- Et comment est le drapeau?
- Il y a une croix blanche, en haut, sur fond bleu. Et puis ensuite, la première ligne en haut est bleue, la seconde est blanche, et ainsi de suite.
- Et quelle est la capitale?
- Athènes.
- Combien y a-t-il d'habitants?
- Il y a 10 millions d'habitants.
- 10 millions d'habitants.

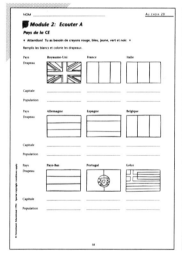

Au choix 21 (Ecouter A) (AT1/4–5)
Knowledge of France: writing out the names of the French regions.

Les 22 régions de France: Comment ça s'écrit?
- Le numéro 1, c'est la Bretagne.
- Bretagne: B r e t a g n e. Bretagne.
- Oui, c'est ça. Le numéro 2, c'est la Basse Normandie.
- Basse Normandie? Basse avec deux s et Normandie avec i à la fin.
- Voilà, exact. Alors, le numéro 3, c'est la Haute Normandie.
- Haute Normandie: H a u t e, Normandie, i e.
- Alors, le 4, c'est la Picardie.
- Picardie: P i c a r d i e.
- Oui, c'est ça. Le 5, c'est le Nord-Pas-de-Calais.
- Ça, c'est dur. Nord-Pas-de Calais: Nord, trait d'union, Pas P a s, trait d'union, de d e, trait

- d'union, Calais avec un s à la fin.
– Exact. Après, c'est le numéro 6: Champagne-Ardenne.
– Champagne-Ardenne? Champagne: C h a m p a g n e, trait d'union, Ardenne, avec deux n, e à la fin.
– Voilà. Alors, le numéro 7, c'est la Lorraine.
– Lorraine: L o r r a i n e?
– Voilà, c'est ça. Le numéro 8, c'est l'Alsace.
– Alsace? A l s a c e, c'est ça, Alsace?
– Oui, c'est ça. Le numéro 9, c'est la Franche-Comté.
– Franche-Comté? Franche: F r a n c h e, trait d'union, Comté, avec un e accent aigu à la fin et un m avant le t.
– Voilà, c'est ça. Le numéro 10, c'est la Bourgogne.
– Bourgogne: B o u r g o g n e.
– Voilà, comme ça. Après, c'est l'Île-de-France.
– Ça, c'est dur. Alors, I accent circonflexe l e, trait d'union, d e, trait d'union, France: Île-de-France.
– Voilà. Après, le 12, c'est le Centre.
– Ça, c'est pas dur. C e n t r e.
– Voilà. Apres, le numéro 13, c'est le Pays de la Loire.
– Alors, Pays avec un y, de, la, Loire avec un l majuscule: L o i r e.
– Voilà comme ça. Le numéro 14, c'est Poitou-Charentes.
– Poitou-Charentes? Euh … P o i t o u, euh, trait d'union, C h a r a n … euh, non, C h a r e n t e s.
– Voilà. Après, le 15, c'est le Limousin.
– Limousin: L i m o u s i n.
– Voilà comme ça. Le numéro 16, c'est l'Auvergne.
– Auvergne? Ça, je sais l'écrire: A u v e r g n e. Auvergne.
– Voilà comme ça. Le numéro 17, Rhône-Alpes.
– Rhône-Alpes? Uhm … Alors, c'est R h o accent circonflexe n e, trait d'union, A l p e s.
– Voilà comme ça. Alors, le numéro 18, c'est Provence-Alpes-Côte d'Azur.
– Provence-Alpes-Côte d'Azur? Provence: P r o v e n c e, trait d'union, Alpes: A l p e s, trait d'union, Côte: C o accent circonflexe t e, d'Azur, euh, d apostrophe A z u r.
– Voilà. Après, c'est le Languedoc-Roussillon.
– Le 19, c'est le Languedoc-Roussillon? Euh, Languedoc: L a n g u e d o c, trait d'union, Roussillon: R o u s s i l l o n. Languedoc-Roussillon.
– C'est juste. Le numéro 20, Midi-Pyrénées.
– Midi: M i d i, trait d'union, P y r e accent aigu n e accent aigu e s: Midi-Pyrénées.
– Voilà, parfait. Le numéro 21, c'est l'Aquitaine.
– Aquitaine: A q u i t a i n e. Aquitaine.
– Encore mieux. Et nous terminons avec le numéro 22, la Corse.
– Ça, c'est simple: C o r s e. Corse.

Au choix 22 (Parler A) (AT2/3)
Information gap exercise on European countries and capitals.

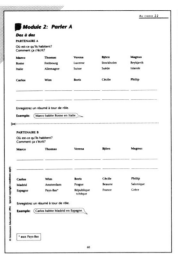

Au choix 23 (Parler A) (AT2/4–5)
Pupils prepare and record a commentary on people's age, country and home town.

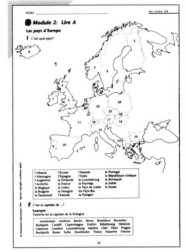

Au choix 24 (Lire A) (AT3/2)
Recognising European countries on a map and matching them with their capital cities.

Au choix 25 (Lire A)
1 Questions on a text about the earth and the seasons. (AT3/5)
2 & 3 Short gapped texts about the solar system and the oceans. (AT4/3)

Au choix 26 (Ecouter B) (AT1/4–5)
A gapped text about Burkina Faso to complete, based on the one in the Pupil's Book. This is presented as a dictation exercise on tape.

Burkina Faso
Ecoute et remplis les blancs.
– Le Burkina Faso, situé à l'intérieur de l'Afrique, est grand comme la moitié de la France … comme la moitié de la France …
– La moitié de la France.
– Oui, c'est ça. Au nord et à l'ouest il y a le Mali …
– Le Mali?
– Le Mali, M a l i virgule; au nord-est le Niger …
– Le Niger?
– Le Niger, N i g e r; le Niger virgule; au sud-est le Bénin …
– Le Bénin?
– Le Bénin, B é n i n virgule, et au sud le Togo …

– Togo?
– T o g o; le Togo virgule, le Ghana ...
– Ghana?
– G h a n a et la Côte d'Ivoire.
– Côte ...?
– Oui, C ô t e d apostrophe I v o i r e; I v o i r e. OK?
– Ouais. Côte d'Ivoire. Oui.
– En raison de sa position tropicale ...
– Sa position tropicale?
– Oui, sa position tropicale; tropicale, t r o p i c a l e ... ça va?
– Oui ...
– ... le Burkina a un climat à deux saisons ...
– A deux saisons ...
– Oui, une saison sèche de mars à juin ...
– ... de mars ... à juin.
– ... et une saison des pluies de juillet à octobre.
– ... de juillet ... à octobre.
– La capitale s'appelle Ouagadougou ... tu sais comment ça s'écrit?
– Oui.
– ... et a une population de 441 500 habitants.
– 441 500.
– Les autres villes importantes sont: Bobo, avec une population de 228 000 habitants ...
– 228 000 habitants; OK.
– Koudougou, 52 000 habitants ...
– 52 000 habitants.
– Ouanhigouya, 39 000 ...
– 39 000.
– ... et Banfora, 35 500.
– 35 500, d'accord.
– L'économie est essentiellement basée sur l'agriculture et l'élevage ...
– L'a-gri-cul-ture ... et l'é-le-vage?
– Oui, l'élevage, é l e v a g e.
– OK.
– 90% ... 90 pour cent ... de la population active est dans l'agriculture. Dernier paragraphe. T'as presque fini! Outre le français ...
– Le français ...
– ... qui est la langue officielle ...
– Deux l, e?
– Oui, deux l, e ... les langues nationales les plus utilisées sont: le moré, m o r é ...
– m o r é
– ... virgule, le dioula, d i o u l a ...
– d i o u l a
– ... et le peulh, p e u l h.
– p e u l h
– Point final.

Au choix 27 (Ecouter B) (AT1/6)

A text about preparations for a visit to Burkina Faso. Pupils tick on a list the items they hear mentioned, and note down additional items.

Julien va au Burkina Faso. Ecoute et regarde la liste.
– Effets personnels: un bon sac de voyage ou sac à dos.
– Oui. Le voilà.
– Un plastique de 2m sur 1m pour isoler du sol.
– Non.
– Il faut chercher dans le garage. Il y en a un avec la petite tente. Un matelas mousse de 5 cm d'épaisseur.
– Oui, le voilà.
– Un drap cousu en forme de sac. Il y en a un dans la cave. Ton père en avait un quand il faisait des randonnées et dormait dans des auberges de jeunesse. Un pantalon.
– Oui, mon jean.
– Deux shorts.
– Je n'en ai qu'un.
– Il faut t'en acheter un deuxième. Des maillots de corps, oui, bien sûr. Une casquette.
– Oui, la voilà.
– Un pull pour le voyage. Pas de problème. T'en as plusieurs. Des sous-vêtements ... Ouais. Une paire de bonnes chaussures type tennis.
– Les miennes sont abîmées.
– Il faut en acheter des nouvelles. Une paire de chaussures légères type espadrilles ou sandales. T'en as toujours de l'année dernière?
– Oui.
– Un vêtement imperméable genre cape cycliste.
– Non. Mais je vais en emprunter un à Christophe. Il en a un. Il fait du cyclisme. Il a de tout.
– Une trousse de toilette et deux serviettes. OK ... couteau, gourde métallique pour de l'eau, lampe de poche ... Tu as tout ça?
– Non, je n'ai pas de gourde.
– Bon, il faut en acheter une. Papier toilette? Ben ... Combien il t'en faut?? Qu'est-ce que tu vas prendre en plus?
– On ne peut pas acheter de piles là-bas, alors il faut en acheter avant de partir.
– Combien?
– Ben ... pour le Walkman, quatre ... et pour la lampe, deux grandes ... et pour l'appareil photographique, quatre petites.
– C'est tout?
– J'ai aussi besoin de quelque chose à lire, des magazines peut-être.
– Des magazines ... des cartes à jouer?
– Oui, des cartes à jouer.
– Des lunettes de soleil?
– Des lunettes de soleil.
– De la crème solaire?
– Oui, bien sûr, de la crème solaire. Oui, tout ça ... et des Mars!
– Des Mars? Mais il va faire trop chaud. Ils vont fondre.
– Bon, des biscuits, alors ... du chewing-gum et des bonbons.
– Biscuits, chewing-gum, bonbons. Et c'est tout?

Au choix 35 (Parler C)
(AT2/5–6, AT4/5–6)
With picture clues,
pupils describe an
imagined visit to
Burkina Faso (using the
perfect and imperfect
tenses).

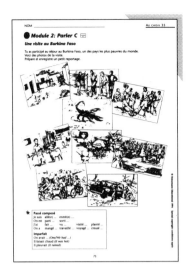

● *Récréation* (Pupil's Book pages 34–35) (AT3/5)

Jeu-test: As-tu besoin qu'on t'admire?
This test is just for fun, although it is also an
extended reading exercise. Some pupils might like
to adapt the test by adding or changing parts of it.
Others might like to make up a *Jeu-test* of their
own. These should be kept in their files as one
example of evidence of different styles of writing.
They could also be included in the
newspapers/magazines which they will produce in
the last half term (see Module 6).

Tongue twisters
These are just for fun. They are also recorded.

 ■ See page 35 of the Pupil's Book.

Trouve le cri de ces animaux.
The answers are on page 143 of the Resource and
Assessment file.

Mots associés
A group game. The first person says one word and
the next has to think of a word associated with it.
To make it more difficult, the person thinking of
the new word has to come up with it before the
others count to eight. An alternative is for the
new word to begin with the last letter of the
previous word.

Chinese whispers is another similar game. Pupils
prepare a phrase such as: *J'adore les pêches, mais je
déteste les concombres; John Smith veut sortir avec
Melanie Green; Tu veux venir écouter de la musique
chez moi ce soir?* etc. The first one whispers the
phrase to the next, who passes it on ... The last
pupil says aloud what (s)he thinks it is. If pupils
sit in circles, they can take turns to start.

Les grands milieux naturels du monde *(Pupil's Book pages 36–37)*

Main topics and functions

- Developing awareness of other parts of the world and of environmental and ecological problems
- Colours (revision and extension)

Structures

On abat ...
On attrape ...
On détruit ...
On utilise ...
On jette ...

Vocabulary

les déserts
*les eaux douces
*les forêts tempérées
*les forêts tropicales
les grandes villes
les montagnes
*les océans
*les pâturages
*les pôles

beige
blanc(he)
bleu(e)
bleu pâle
gris(e)
jaune
rouge
vert foncé
vert pâle

*les arbres
*le déboisement
*les déchets
*la destruction d'espèces/de la couche d'ozone
*l'érosion des sols
*les gaz CFC
*l'habitat
*les pluies acides
*les poissons
*la pollution
*la sécheresse
*le surpâturage
*la surpêche
*la surpopulation

---

1 a A deux: Trouvez la bonne couleur pour chaque type de paysage. (AT2/3–4, AT3/2–3)
Pupils have to look at the map and work out which colour each type of habitat is represented by. They are using their knowledge of language to hypothesise about the meaning of new words.

Support worksheet 9 gives further practice of this vocabulary, with a picture matching exercise and a *Cherche l'intrus* game. (AT3/1–2)

Answers (2):
1 a les pôles/
　 l'arctique,
　 b les arbres
2 a les grandes
　　villes,
　 b les fleurs
3 a les pâturages,
　 b les poissons
4 a les pôles/
　 l'antarctique,
　 b rouge
5 a les déserts,
　 b la neige
6 a les forêts
　　tempérées,
　 b les pyramides
7 a les eaux douces, b le sel
8 a les océans, b le centre commercial
9 a les montagnes, b le fast-food
10 a les forêts tropicales, b la glace à la vanille

b Ecoute et vérifie. (AT1/2)

1 Les forêts tempérées sont de couleur vert pâle.
2 Les pâturages sont de couleur beige.
3 Les déserts sont de couleur jaune.
4 Les forêts tropicales sont de couleur vert foncé.
5 Les montagnes sont de couleur grise.
6 Les pôles sont blancs.
7 Les eaux douces sont de couleur bleue.
8 Les océans sont de couleur bleu pâle.
9 Les grandes villes sont rouges.

2 a A deux: C'est quel problème? (AT3/2–3)

Pupils have to find the right phrase to go with each picture. This is a harder exercise as the language is more difficult, but it applies the same principles and should help to develop deductive skills.

To make it easier and to develop comprehension skills, pupils could (1) look at the pictures and decide what the problems depicted would be called in English; (2) read the French list together. Help pupils to see how to deduce the meaning of a word by looking for cognates and by breaking it up into parts of words which they can recognise (*espèces* – species; *déboisement* – *bois*, etc.).

b Ecoute et vérifie. (AT1/3)

Le numéro 1, c'est le déboisement. On abat tous les arbres.

Le numéro 2, c'est la surpopulation. Il y a trop de monde.

Le numéro 3, le surpâturage. Il y a trop d'animaux domestiques, par exemple des vaches et des moutons.

Le numéro 4, la surpêche. On attrape trop de poissons dans des filets trop grands.

Le numéro 5, la sécheresse. Il y a un manque d'eau, et les terres fertiles deviennent arides.

Le numéro 6, c'est l'érosion des sols. La pluie et le vent emportent le sol.

Le numéro 7, la destruction d'espèces. On détruit l'habitat des animaux et des oiseaux, et ils disparaissent.

Le numéro 8, c'est la destruction de la couche d'ozone. On utilise des gaz CFC qui détruisent une partie de l'atmosphère.

Le numéro 9, les pluies acides – l'eau de pluie est acide à cause de la pollution de l'air par les usines et les voitures.

c A deux: Quels problèmes sont liés à chaque milieu naturel? (AT2/3–5)

Pupils are now asked to pair up the regions and problems in French, using the model given to start them off.

Pupils should be encouraged to suggest more than one problem for various regions and to look up new words for problems not already mentioned. They could listen again to exercise 2b and make a more extended answer.

d Ecoute et vérifie. (AT1/4–5)

Pupils listen and check.

– Dans les forêts tempérées?
– Euh, le problème, c'est le déboisement.
– Oui, d'accord, et pour les pâturages?
– Le surpâturage. Il y a trop d'animaux domestiques.
– Oui, par exemple des vaches et des moutons.
– Dans les déserts?
– C'est la sécheresse. Il y a un manque d'eau et les terres fertiles deviennent arides.
– Oui ... et les forêts tropicales?
– Le problème, c'est le déboisement.

– Oui, on abat les arbres.
– En montagne?
– L'érosion des sols. La pluie et le vent emportent le sol. Aux pôles?
– Le problème là, c'est la destruction de la couche d'ozone et la pollution. Et pour les eaux douces?
– Les pluies acides – la pollution de l'air – et on jette trop de déchets dans les rivières.
– Dans les océans?
– La surpêche: on attrape trop de poissons dans des filets trop grands, et il y a de la pollution aussi.
– Oui, c'est ça.
– Dans les grandes villes?
– C'est surtout la surpopulation. Il y a trop de monde.

e Trouve la bonne définition. (AT3/3–4)

This exercise is on **Support worksheet 10.**

Answers: 1G, 2F, 3B, 4D, 5H, 6A, 7E, 8I, 9C

At this point you could use the worksheets **Au choix 30 (Lire B** Reinforcement) and **31 (Lire B** Extension); see page 53 below.

Chez toi (AT4/3–4)

Pupils are asked to give written answers to exercise 2c.

5 Les forêts tropicales *(Pupil's Book pages 38–39)*

Main topics and functions

- Talking about environmental problems

Other aims

- Developing translation skills

Structures

On brûle ...
On abat ...
Il faut ...
On doit ...
On ne doit pas ...

Vocabulary

malheureusement
seulement
toujours
vite

les céréales
l'eau
les feuilles
les gens
les hommes
les nuages
les pays
les plantes
la pluie

les racines
le sol
la terre

le bouleau
le châtaignier
le chêne
le hêtre
le sapin

abattre
absorber
brûler
 commencer
cultiver
 devenir
 disparaître
 exploiter
 fabriquer
 jeter
 jouer
 manger
 mourir (de faim)
 nourrir
 perdre
 retomber
risquer
transpirer

---

1 a Ecoute et lis. (AT3/6)
This is an extended reading exercise for the development of initial translation skills. Pupils first listen and follow the text as it is read on the tape.

See page 38 of the Pupil's Book.

b A deux: Lisez le texte à haute voix, une phrase chacun(e) à tour de rôle.
Paired reading of the text aloud for pronunciation and fluency practice.

2 a A deux: Trouvez un titre pour chaque photo. (AT3/6)
Pupils make up a caption for each picture.

 They can choose a phrase from the text.

Answers: A les animaux sont en danger, B on brûle la forêt pour l'agriculture, C la terre devient un désert, D l'eau se condense en nuages, E on abat les arbres

b A deux: Traduisez le texte en anglais pour le prof de géo. (AT3/6)
By now most pupils should be able to develop some translation skills, making gist translations into English and realising that word for word translation doesn't always work, that you have to translate the 'meaning' and not the word.

Paired gist translation using recognition of cognates and deduction. Working in pairs, pupils should be able to make a rough translation of the passage into English. The most difficult words have been given. The most able pupils should not need to look any words up.

3 Prépare un article pour ton journal. Ecris un exposé sur un milieu naturel en danger. (AT4/5–6)
A researching and writing activity. Pupils can choose a natural habitat from those in Unit 4.

Chez toi
Pupils have to find out which trees the leaves come from.

Answers: le bouleau, le chêne, le hêtre, le châtaignier, le sapin

6 L'environnement en danger! *(Pupil's Book pages 40–41)*

Main topics and functions

- Talking about measures to improve the environment
- Saying what you are not allowed to do

Other aims

- Carrying out creative activities in a group

Structures

- Using the imperative

moins vite
au lieu de
trop vite

Il est défendu/interdit de ...
On ne doit pas ...

Vocabulary

les aérosols	**cueillir: ne cueillez pas*
les boîtes	*économiser*
les bouteilles	*écouter*
le chauffage	*éteindre: éteignez*
l'eau	*faire: faites*
l'énergie	*fermer*
l'essence	*gaspiller*
les fleurs sauvages	*jeter*
les ordures	**planter*
la planète	*prendre*
la poubelle	**récupérer*
le robinet	**recycler*
un sac en coton/en plastique	**réduire: réduisez*
	*rouler
aller (à pied)	*sauver*
allumer	*utiliser*
baisser	

---

1 a Trouve les légendes qui correspondent aux images. (AT3/3)
Pupils match the pictures and the slogans.

Answers: 1J, 2B, 3I, 4F, 5K, 6G, 7E, 8L, 9D, 10C, 11A, 12H

b Ecoute: C'est quel geste vert? (1–12) (AT1/4–5)
On the tape, teenagers and parents refer to the same actions in different words; pupils have to deduce which is hinted at.

Answers: 1A, 2L, 3D, 4G, 5B, 6F, 7C, 8E, 9K, 10I, 11J, 12H

1 Tu vas trop vite. Si on va moins vite, on économise l'essence.
2 Est-ce que vous avez des aérosols sans gaz CFC?
3 – Il fait trop chaud dans la maison. Tu pourrais baisser le chauffage?
  – Mais je vais avoir froid.
  – Mets un pull!
4 On va planter des arbres au collège.
5 – Qu'est-ce que tu fais avec les boîtes en métal?
  – Je vais les porter au conteneur.
6 Eteins ta lampe. Tu n'en as plus besoin. C'est du gaspillage!
7 Je ne veux pas de sac en plastique. Est-ce que vous en avez en coton?
8 – Regarde les jolies fleurs. Je vais en cueillir.
  – Non. C'est défendu. Tu ne dois pas cueillir les fleurs sauvages!
9 – Tu peux m'emmener au collège?
  – Prends ton vélo!
10 Tu as laissé tomber ce papier par terre. Mets-le dans la poubelle.
11 – Je peux prendre un bain?
  – Prends une douche. Ça consomme moins d'eau.
12 Mets les bouteilles dans un carton à la cave. Je vais les porter au conteneur demain.

c Choisis un geste vert et dessine un poster pour le collège. (AT4/3–4)
Creative activity.

2 A deux: Complétez les phrases. (AT4/3–4)
Pupils are asked to make up suitable endings for the slogans. **Support worksheet 10** (see page 50 above) gives some help with this exercise.

Pupils might be expected to make up new slogans of their own.

Word patterns 3 *(Les instructions)* may be used at this point to practise the imperative form.

3 A deux: Au Parc National de la Guadeloupe. Qu'est-ce qu'on ne doit pas faire ici? (AT2/4–5)
Saying what you must not or should not do, using *on ne doit pas* and *il est défendu/interdit de ...*
Pupils practise in pairs.

Pupils should be able to give reasons.

Answers: A ... jeter les ordures par terre, B chasser/tuer les animaux, C faire le feu, D faire du bruit, E cueillir les fleurs (sauvages)

4 **Faites une pub ou écris des renseignements sur l'environnement pour ton journal ou pour le journal de la classe. (AT4/4–6)**
Pupils can now seriously start to write/collect material for inclusion in their newspaper. Even if they decide to rewrite it at a later date, it will give them a starting point.

Mini-test 4 (AT2/4–6)

The sheet **Mini-tests 3 & 4** has models of the language needed for this test.

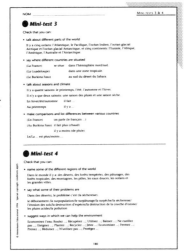

Reinforcement and extension worksheets

For **Au choix 26 (Ecouter B)** and **Au choix 27 (Ecouter B** **)** see pages 46–47 above.

Au choix 28 (Parler B) (AT2/3)
Asking for items of food/drink and asking/saying whether you like them.

Au choix 29 (Parler B) (AT2/4–5)
A mapped dialogue between customer and waiter at a bar.

Au choix 30 (Lire B) (AT3/4)
1 A text about the water cycle with pictures to match to vocabulary items.
2 Reading instructions for an experiment.

Au choix 31 (Lire B)
1 A text about deserts with comprehension questions. (AT3/6)
2 Pupils write short texts using picture prompts. (AT4/4–5)

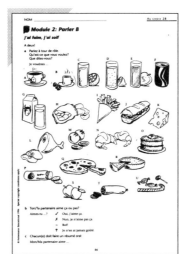

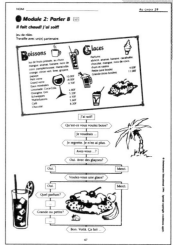

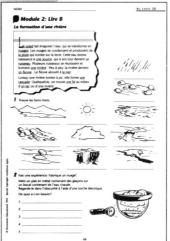

Récréation (Pupil's Book pages 42–43) (AT3/6–7)

This is the second instalment of the Jules Verne story begun in Module 1. The story is completed in Module 3.

7 *J'habite ...* *(Pupil's Book pages 44–45)*

Main topics and functions

- Talking about home town and area (revision and extension)

Other aims

- Extended listening
- Preparing a short talk
- Extended writing

Structures

- Adjectival agreement (revision)
- Position of adjectives:
  une grande ville industrielle/un grand port industriel
  La ville est très belle/Le village est très beau

Vocabulary

une cathédrale
des écoles
une gare

une gare routière
un hôpital
des magasins
un marché
une mosquée
une rivière

le cinéma
la natation
la pêche
la planche
le tennis

assez
beaucoup
souvent
très

beau/belle
industriel(le)
joli(e)
touristique

---

1 Exercise 1 is an extended listening exercise which is broken up into small parts.

a Ecoute: Où habitent-ils? C'est quelle photo? (1–5) (AT1/3)
Pupils listen and write down the letter of the relevant picture.

Answers: 1D, 2A, 3C, 4B, 5E

1 Je me présente. Je m'appelle Eric et j'habite Amiens, dans le nord de la France.
2 Je m'appelle Bacary et j'habite Dédougou au Burkina Faso en Afrique.
3 Mon nom est Mélissa et j'habite Basse-Terre en Guadeloupe. La Guadeloupe, c'est une petite île dans les Antilles, dans la mer des Caraïbes.
4 Mon nom est Lucie. J'habite Morzine, en France ... C'est dans les Alpes, pas loin du lac Léman et Genève.
5 Mon nom est Maurice. J'habite au Lavandou sur la Côte d'Azur. C'est dans le sud de la France, au bord de la mer Méditerranée.

b Ecoute: Le climat est comment? (1–5) (AT1/4–5)
Pupils again write down the letter of the relevant pictures, but here there are additional items of information to be picked up.

Pupils can take notes and should be expected to make a more detailed report.

Answers: 1D,A,C,F, 2A,C, 3A,C,G,F, 4A,D,E,B, 5A,F,D,C

1 Chez moi, il fait froid en hiver et chaud en été. Il pleut beaucoup, mais nous n'avons pas beaucoup de neige. Il y a du vent, mais pas trop fort.

2 Chez moi, il fait très chaud. Nous avons une saison pluvieuse et une saison sèche, mais il fait toujours chaud. Pendant la saison pluvieuse, il pleut tous les jours à trois heures de l'après-midi et le fleuve déborde.
3 Chez moi, il fait toujours chaud aussi, mais pendant la saison pluvieuse nous avons pas mal d'orages. Dans les montagnes il fait moins chaud, il y a un peu de vent et le volcan est souvent couvert de nuages, mais je n'ai jamais vu de neige.
4 Chez moi, il fait très chaud en été et très froid en hiver. En hiver il y a pas mal de neige. Morzine est une station de ski. Il neige, et puis il fait du soleil. On peut se bronzer en faisant du ski. J'adore faire du ski!
5 En été, il fait toujours chaud, mais quelquefois il y a un petit vent frais qui vient de la mer. En hiver il fait froid, il pleut souvent et il y a souvent du vent, mais nous n'avons pas de neige.

c Ecris un petit texte sur chacun. (AT4/4–5)
Pupils have to make a short summary of the information obtained, using the table provided as a guide. **Support worksheet 11** has revision of weather expressions and a gapped text with picture clues to support this exercise. (AT3/2–3, AT4/2)

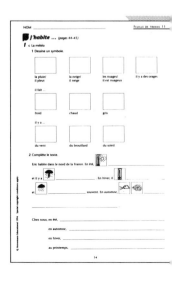

2 Exercise 2 is similar to exercise 1 but getting gradually more difficult as pupils are expected to make a note of additional items.

a Ecoute: Qu'est-ce qu'il y a chez eux? (1–5) (AT1/4)
Pupils write down the letters of the places mentioned.

Pupils make a note of any extras.

Answers: 1A,C,B,F,H,E + mairie, fleuve, vieux quartier, ponts, 2F,E,I + clinique, église, bar-restaurant, 3I,C,E,A,F,D + cliniques, mairie, bars, port, 4A + églises, syndicat d'initiative, sapeurs-pompiers, funiculaires, restaurants, piscine, patinoire, 5A,E,B,H,D + mer, plage, restaurants, hôtels, bars, port

1 Chez moi? Ben ... en ville, il y a des magasins, bien sûr, une cathédrale célèbre, un hôpital, bien sûr, un marché, la gare, la mairie ... puis il y a le fleuve et le vieux quartier avec ses jolies petites maisons et les ponts ... et la fameuse école du cirque, bien sûr.
2 Chez moi il y a ... un marché, une clinique, une école primaire et une école secondaire, une mosquée et une église catholique ... et puis le bar-restaurant.
3 Chez moi, à Basse-Terre, il y a de tout: une mosquée, une cathédrale, des écoles, des cliniques, des magasins, un grand marché, la mairie, une gare routière, des bars, le port ... ouais, de tout.
4 A Morzine, il y a des églises, des magasins, un syndicat d'initiative ... les sapeurs-pompiers, des funiculaires, des restaurants ... et puis il y a aussi une piscine et une patinoire.
5 Chez nous, il y a la mer, la plage, des magasins, des restaurants, des hôtels, des bars, des écoles ... un hôpital, la gare, une gare pour les autobus, et le port.

b Ecoute: Qu'est-ce qu'on peut faire? (1–5) (AT1/4–5)
Pupils write down the letters of the places mentioned.

Pupils make a note of any extras.

Answers: 1A, J, D, B, E + bar, restaurant, 2J, D, G + bar, 3H, I, G, B, J + plongée, ski nautique, basket, volley, 4C, A, B + surf des neiges, luge, patinage, randonnées, escalades, 5H, B, I, J, A, E, F + bateau à moteur, plongée, jeu à treize, basket, volley, équitation

1 Chez nous, on peut faire du tennis, du foot ... on peut aller au cinéma ... Il y a une piscine, on peut manger au fast-food ou aller dans un bar ou un restaurant.
2 Bon, chez nous il n'y a pas grand-chose. Il y a un terrain de foot et on peut aller dans un bar jouer au babyfoot ou au pinball ... Il y a un cinéma et on peut aller à la pêche.
3 Chez nous, on peut faire tous les sports aquatiques: planche, bateau à voile, aller à la pêche, faire de la plongée sous-marine ... de la natation, bien sûr, ou du ski nautique ... Il y a un stade et on peut jouer au foot, au basket ou au volley ... ou au tennis ... Il y a un cinéma, et le soir on peut aller manger dans un bar ou dans un restaurant.
4 Bon, en hiver c'est le ski, ou bien le surf des neiges – c'est-à-dire le snowboard – ou bien la luge, et le patinage. En été on peut jouer au tennis, aller à la piscine ou bien faire des randonnées en montagne ou des escalades ... et il y a des écoles de parapente. On peut faire du parapente en hiver ou en été.
5 Chez nous, c'est la côte, alors on fait de la planche, de la natation, du bateau à voile et du bateau à moteur ... de la plongée sous-marine – tout ce qu'on peut faire au bord de la mer. En plus, il y a un stade: on peut jouer au foot, au jeu à treize, au basket, au volley et au tennis ... et on peut faire de l'équitation. Le soir, on peut manger au fast-food ou danser dans un bar ou une boîte de nuit.

c Ecris un petit texte sur leur ville ou village. (AT4/4–5)
Pupils should now be able to put all the items in exercise 2a and b together and make a more extended piece of writing. A copy should be kept as evidence of this style of writing.

3 A deux: Préparez et enregistrez un petit discours sur votre village ou votre ville pour un collège jumelé. (AT2/4–6, AT4/4–6)
A more extended speaking exercise about pupils' own area modelled on work they have been doing.

Song: Vent frais
This round is recorded for pupils to listen and join in.

Vent frais, vent du matin
Vent qui souffle aux somments des grands pins
Joie du vent qui souffle, allons dans le grand ...

> At this point you could use the worksheet **Au choix 32 (Ecouter C** Reinforcement); see page 58 below.

Chez toi (AT4/2, 4–6)
This is intended to make pupils think about what buildings are needed in a town, before going on to devise an imaginary town in the next unit.

8 *Projet: Une ville imaginaire* (Pupil's Book pages 46–47)

Main topics and functions

- Saying what there is in a town and where (revision and extension)

Other aims

- Carrying out a creative activity in a group

Structures

Il y a un/une ... pour ceux qui ...
Il n'y a rien

Vocabulary

*all vocabulary receptive only

les déchets organiques
les ordures
les poubelles

le campus universitaire
le centre aquatique/commercial/culturel/médical/de
    recyclage/des sciences/scolaire/de télécommunications
l'espace vert
la gare monorail
la station spatiale
le terrain de sport
la zone industrielle

---

1 A deux. (AT4/3)

a Vous avez quatre minutes. Faites la liste de tout ce qu'une ville doit avoir.
A brainstorming activity: pupils write down as many places in a town as they can in 4 minutes. They should be able to explain for whom most of the places are intended, using the formula *pour ceux qui ...*

b Faites un plan ou un dessin de votre ville. N'oubliez pas l'environnement! (AT4/2–4)
Pupils can draw and label a plan or a picture of a town, or cut pictures out of magazines to make a collage and label it.

c Ecrivez un texte pour expliquer ton plan. (AT4/4–6)
They can then go on to write a text using the model given, saying what there is in the town and why (if appropriate).

2 a Ecoute: Une ville futuriste. Qu'est-ce que c'est? (AT1/4)
Pupils listen and identify the various places in the drawing.

- A, qu'est-ce que c'est?
- Ça? C'est l'espace vert, le parc écolo, pour produire de l'oxygène.
- Et B?
- Le centre des sciences.
- C?
- Le centre culturel: le théâtre, le cinéma, etc.
- D?
- Le centre aquatique, pour la natation et les sports aquatiques.
- E?
- E, c'est la gare monorail.
- Et F?
- Le centre médical. Pour ceux qui sont malades.
- Et G?
- C'est le centre commercial. Les magasins et tout

ça.
- H?
- Le centre de télécommunications, et I, c'est la station spatiale.
- Et J?
- Le centre scolaire.
- Je pourrais m'en passer! K?
- Le campus universitaire.
- Ça aussi. L?
- Le terrain de sport.
- C'est pour quels sports?
- Uhm, le foot, les Jeux sans frontières, Gladiateurs, etc.
- C'est tout?
- Non, il y a aussi la zone industrielle, mais ce n'est pas marqué sur la carte. Elle se trouve un peu plus loin. Il faut prendre le monorail. Euh ... et il y a aussi le centre de recyclage.
- Où ça?
- Ce n'est pas marqué non plus. C'est au-dessus du centre commercial.
- C'est tout?
- Oui, c'est tout!

b A deux: Vrai ou faux? Vérifie avec un(e) partenaire. Corrigez les phrases qui sont fausses. (AT3/3)
Pupils read through the phrases in pairs to see which are true and which false, and correct the ones which are false.

Answers: 1V, 2F, 3V, 4F, 5V, 6V, 7F, 8F

At this point you could use the worksheets **Au choix 33 (Ecouter C Extension)**, **Au choix 34 (Parler C Reinforcement)** and **Au choix 36 (Lire C Reinforcement)**; see page 59 below.

Chez toi (AT4/4–5)
Pupils list the differences between the town
pictured and their own plan or drawing, using the
phrases given as a starting point.

❾ *Je bouquine* (Pupil's Book pages 48–49)

Main topics and functions

- Revision and extension

Other aims

- Reading for interest

Structures

- Perfect and imperfect tenses (revision)

Vocabulary

*all vocabulary receptive only

une baleine	*pousser des cris*
un baleineau	*se précipiter*
bouche bée	*les profondeurs*
la douche	*un remous*

---

1 Lis et comprends. (AT3/6)

This article is about a first sighting of a whale and is for reading for interest.

2 a Copie et complète l'histoire de Julie avec les mots proposés. (AT3/4, AT4/4)

This is a gapped text with picture clues; the missing words are given, with distractors. The completed text is written in the present tense.

Answers:

Je vais en *Afrique* avec *mes parents*. On prend *l'avion* à Paris. On dort sous *une tente* dans la brousse. Le matin, on voit les traces *d'un serpent* devant la tente. J'ai peur, mais Djabel nous dit qu'on a tué le serpent. Après le petit déjeuner, on fait un safari *en voiture*. Soudain, je vois *un éléphant*. La voiture s'arrête. On prend *des photos*. On continue et on voit *des zèbres* et *des girafes*. Soudain il fait nuit et on rentre *au campement*. Pour le dîner, il y a *un ragoût de serpent*.

b Que s'est-il passé? Raconte l'histoire. (AT4/5–6)

Putting the same text into the past. Help is given with choosing and using the correct tenses.

Verbs 5 is a worksheet giving examples of the use of the imperfect and perfect tenses. It is unlikely to be suitable for all pupils, but some pupils should be able to grasp the concept and make an effort to use the appropriate tense.

Reinforcement and extension worksheets

Au choix 32 (Ecouter C)

1 Recognition of countries, seasons and weather expressions. (AT1/3)
2 Pupils produce a similar description of their own country. (AT4/3–4)

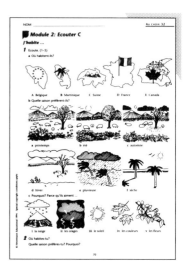

J'habite ...

a Où habitent-ils?
b Quelle saison préfèrent-ils?
c Pourquoi?

1 J'habite à Québec au Canada. Ma saison préférée, c'est l'automne, parce que les feuilles sont de toutes les couleurs.
2 J'habite Bruxelles, en Belgique. Je préfère l'été, parce qu'il fait chaud, il y a du soleil ... et puis il y a les vacances!
3 J'habite Lausanne, en Suisse. Ma saison préférée est l'hiver parce que j'adore la neige et les sports d'hiver, surtout la luge et le surf.
4 J'habite en Avignon. C'est dans le sud de la France, en Provence, dans la vallée du Rhône. Ma saison préférée, je crois, c'est le printemps, parce qu'il fait plus frais ... Tous les arbres sont en fleurs ... les pêchers, les pommiers, les poiriers, etc.
5 Moi, j'habite à la Martinique. Nous n'avons que deux saisons, une saison des pluies et une saison sèche. Je préfère la saison des pluies: il fait plus frais. Il y a souvent des orages, mais ils passent vite ... et puis, il fait toujours chaud: on sèche vite!

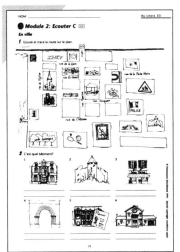

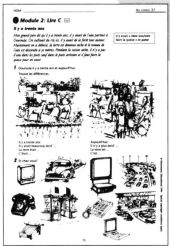

Au choix 33 (Ecouter C) (AT1/6)
1 A description of a tour of a town: pupils mark the route on a plan.
2 Identifying pictured buildings from the previous description.

En ville
1 Ecoute et trace la route sur le plan.
Bon. On va commencer la visite ici, devant le syndicat d'initiative … Sur notre gauche il y a la mairie, qui date du seizième siècle … Plus loin, là, après la mairie, c'est l'église St.-Antoine, construite en 1846. On continue, et puis en face, ce bâtiment décoré, c'est la gare, construite une première fois en 1916 … puis détruite pendant la deuxième guerre mondiale … et reconstruite en 1946.
A côté de la gare, vous voyez le restaurant Jules-Verne. Ce restaurant s'appelle Jules-Verne parce qu'on dit qu'il a mangé là, mais comme le restaurant date de 1946 … beuh, je ne le crois pas vraiment. Peut-être que c'était son fantôme.
A droite, c'est la banque. Vous voyez l'ancienne porte romaine? C'est par ici que les Romains entraient dans la ville après leurs batailles … Ici, à gauche, il y a la poste … La poste date de 1922, et après la poste on tourne à droite … Le bâtiment là, c'est le théâtre. Et ici, le bâtiment avec le drapeau, c'est le commissariat de police. Il a été reconstruit en 1948. Plus loin, on voit le château qui date du treizième siècle … mais il n'en reste pas grand-chose, et de toute façon, ce n'est pas inclus dans notre visite.
Maintenant, on va tourner à droite pour aller visiter le Musée des Beaux-arts, et après, on ira visiter le jardin botanique … avant de descendre à la rivière pour prendre le bateau pour le retour. J'espère que la visite vous plaira …

Au choix 34 (Parler C) (AT2/4–6)
Pupils work in pairs to prepare and record an advertisement for a seaside resort.

Au choix 36 (Lire C)
1 Finding places on a town plan from directions. (AT3/3–4)
2 Deducing the questions the visitors asked. (AT3/3–4)
3 Giving directions to various places. (AT4/3–4)

Au choix 37 (Lire C) (AT3/5, AT4/5–6)
'Find the differences': practice of present and past tense descriptions, **1** referring to Burkina Faso, and **2** to pupils' own country.

For **Au choix 35 (Parler C** **)** see page 48 above.

Bilan and Petit portrait (Pupil's Book pages 50–51)

Bilan

This appears on the sheet **Bilan 2** so that partners can test each other and tick off and initial items. There is a second set of boxes for the teacher to initial and space for comments.

Petit portrait (AT2/3–6, AT4/3–6)

This forms the basis of the written part of the **Contrôle** (see notes below). It can also be used as a stimulus for oral work. Ask pupils to prepare and give a short talk in either the first or the third person.

Contrôle

 Listening: Core Level

This is on the sheet **Contrôle 2A.**

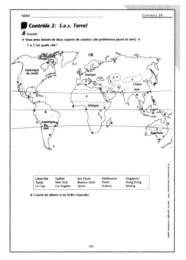

1 Pupils follow the instructions on the cassette to fill in the names of the towns/cities and colour in the desert and rainforest regions. **(AT1/4)**

Answers: See tape transcript

Total 17 marks

 1 a C'est quelle ville?
   b Colorie les déserts et les forêts tropicales.
On commence avec l'Afrique. La ville sur l'équateur c'est Libreville. Libreville: L I B R E V I L L E. La ville au nord c'est Tunis ... et la ville au sud c'est Le Cap. Le Cap: L E C A P.

En Amérique du Nord, la ville au Canada, près de la côte nord-est, est Québec. Québec: Q U E B E C ... et la ville toujours à l'est, mais plus au sud, c'est New York. Sur la côte ouest, la ville marquée, c'est Los Angeles.

En Amérique du Sud, les villes marquées sont, sur le tropique du Capricorne, Sao Paulo, et toujours sur la côte est mais plus au sud, Buenos Aires. Sur la côte ouest, sur l'équateur, la ville marquée, c'est Quito. Quito: Q U I T O.

En Australie, la ville la plus au sud, c'est Melbourne, la ville sur la côte ouest est Perth, et sur la côte est, c'est Sydney.

En Asie, la ville sur l'équateur c'est Singapour, sur le tropique du Cancer, c'est Hong Kong, et plus au nord, en Chine, c'est Beijing.

Et en Europe ... mais ça, vous connaissez déjà.

Il ne vous reste plus qu'à colorier les déserts en jaune et les forêts tropicales en vert. Les déserts sont les régions indiquées par la lettre A, et les forêts tropicales sont indiquées par la lettre B.

 Listening: Extension Level

This is on the sheet **Contrôle 2A** .

1 Pupils fill in the place names on the map and add appropriate symbols according to the descriptions. **(AT1/5)**

Answers:
Le Havre: industrielle, côte, port, touristique
La Rochelle: côte, port, balnéaire, touristique
Lille: industrielle
Lyon: rivière, industrielle, historique, touristique
Marseille: côte, port, industrielle, touristique
St.-Etienne: industrielle
Strasbourg: historique, touristique, rivière
Toulon: côte, port, touristique
(**a** 8 marks)
(**b** 24 marks)
Total 32 marks

2 Pupils write a sentence about five of the towns. This is an extension of the previous exercise. Pupils use the information they have noted about the towns to write up a more complete answer. This is to prepare them for performing a mixed-skill task (listening and writing) at a higher level. There is a total of 3 marks available for each answer: 3 for giving three correct facts (or a full and correct answer), 2 for giving two facts correctly, and 1 for one fact correctly (or the main facts but with several orthographic inaccuracies). **(AT4/3–4)**

Total 15 marks

 1 a Remplis les noms des villes sur la carte.
   b Quels symboles correspondent à chaque ville?
1 Le Havre est une ville industrielle et un port important dans le nord de la France, situé sur la côte nord, à l'endroit où la Seine se jette dans la Manche. La vieille ville est touristique.
2 La Rochelle est un vieux port de pêche situé sur la côte ouest. Maintenant, c'est une ville touristique et balnéaire.

3 Lille est une ville industrielle dans le nord de la France, près de la frontière belge.

4 Lyon est une grande ville industrielle, historique et touristique, située sur le fleuve Rhône au confluent avec la Saône.

5 Marseille est un port – le plus grand port de France, je crois – dans le sud de la France, sur la mer Méditerranée. C'est industriel, et touristique aussi.

6 St.-Etienne est au centre de la France ... enfin, pas exactement au centre, mais au milieu, pas loin de Lyon. C'est une ville industrielle.

7 Strasbourg est sur la frontière avec l'Allemagne, dans le nord-est de la France. C'est une ville historique, très belle, touristique ... C'est joli. C'est sur le Rhin, le fleuve qui sépare la France de l'Allemagne.

8 Toulon, c'est dans le sud. C'est un port sur la mer Méditerranée, avec une base navale. C'est une vieille ville assez touristique.

B Reading: Core Level

This is on the sheet Contrôle 2B.

1 Pupils read the text describing the daily routine and fill in the details on the pie chart. (AT3/4)

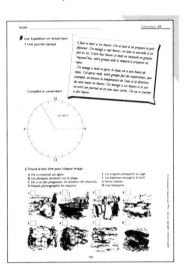

Answers:

10pm-6am	on dort (1)
6am-7am	on se lève, on se lave, on prépare le petit déjeuner (3)
7am-8am	on mange, on lave la vaisselle, on fait les lits (3)
8am-12	on travaille en groupe (1)
12-1pm	on mange (1)
1pm-2pm	une heure de repos (1)
2pm-6pm	on fait des expériences (1)
6pm-10pm	on mange, on écrit son journal, on joue aux cartes (3)

2 Pupils match the captions to the pictures. (AT3/4)

Answers: 1D; 2G; 3C; 4H; 5A; 6E; 7B; 8F (8 marks)

Questions 1–2: Total 22 marks

B Reading: Extension Level

This is on the sheet Contrôle 2B 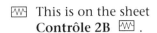.

1 Pupils match the four descriptions of cloud types to the pictures. (AT3/5)

Answers: 1A; 2D; 3B; 4C (4 marks)

2 Pupils read the text about batteries and do the true/false exercise. (AT3/5)

Answers: 1V; 2F; 3V; 4F (4 marks)

Questions 1–2: Total 8 marks

3 Pupils design a poster to warn about the dangers of used batteries. (AT4/3–5)

C Writing: Core and Extension Levels

The stimulus for the writing activities is the *Petit portrait* on page 51 of the Pupil's Book. A range of activities can be set.

1 **Ecris un titre. (AT4/3–4)**
Pupils write captions for the pictures.

2a **Ecris un reportage sur Jean-Luc pour le journal de la classe. (AT4/4–5)**

b **Tu vas faire une interview avec Jean-Luc. Prépare trois questions. (AT4/4–5)**

3 **Jeu d'imagination: Tu es Jean-Luc. Ecris une lettre à un(e) correspondant(e). (AT4/5–6)**

Put the following cues on the board or on the OHP.

Qu'est-ce que tu aimes faire pendant ton temps libre?
Qu'est-ce que tu as fait hier?
Qu'est-ce que tu vas faire le week-end prochain?

Module 3: *Bien dans ma peau* (Pupil's Book page 52)

Unité	Main topics and functions	Pos Part I	Pos Part II	Skills	Grammar
De la tête aux pieds (pp.52-53)	Parts of the body (revision and extension) Talking about your own body	2b, 2d	B	L S R W Inferring meaning	*mon/ma/mes avoir besoin de dont en cas de*
Ma peau (pp.54-55)	Giving advice	1i, 3e	B	L S R W Letter writing skills Developing reading skills Using reference materials	Imperatives, second person singular
L'avenir dans vos mains (pp.56-57)	Talking about personal characteristics and horoscopes (revision and extension)	2l, 2m	B	L S R W Expressing opinions Extended listening and reading skills Developing awareness of language	*aller* + infinitive Future tense *vous* and *tu* forms
Récréation (pp.58-59)	Revision	1g	B	R Reading for interest (magazine quiz and poetry)	
On est ce qu'on mange (pp.60-61)	Talking about nutritional values of food and good eating habits	2h, 2l	A	L S R W Expressing opinions Writing for a newspaper	verbs, third person singular and plural
Bonne cuisine, bonne mine! (pp.62-63)	Talking about food shopping dialogues (revision and extension)	1c, 1d	A	L S R W Extended speaking Extended listening and reading	Imperatives, second person plural *On en a On n'en a pas Il faut en acheter*
Vive le sport! (pp.64-65)	Sports (revision and extension) Saying what is wrong with you and what has happened	1a, 3f	A, B	L S R W	Perfect tense, first person singular
Récréation (pp.66-67)	Revision	4a		R Reading for interest (cartoon story)	
La grande évasion (pp.68-69)	Talking about holidays Describing campsites	1k, 2o	B	L S R W Expressing opinions Writing a formal letter	*Ou pourrait aller ... Il n'y a pas de ... Je préfère ...*
Sports d'hiver (pp.70-71) (if extension *Contrôle* being done)	Talking about winter sports and clothes	2g, 2m	A, B	L S R W Carrying out a survey	*... aiment faire du ski ... n'aiment pas faire du ski ... n'ont jamais fait de ski ... voudraient bien essayer ... ne s'y intéressent pas*
Page de lecture (pp.72-73)	Personal characteristics (revision and extension)	2c, 3c	B	R W Extended reading Developing awareness of language Independent learning and research skill	Past historic tense (receptive introduction) *plus ... plus ...*
Bilan (p.74)	Revision		A, B	S	
Petit portrait (p.75)	Revision	3g		S W	
Contrôle	Revision			L R W	

De la tête aux pieds *(Pupil's Book pages 52–53)*

Main topics and functions

- Parts of the body (revision and extension)
- Talking about your own body

Other aims

- Inferring meaning

Structures

mon/ma/mes
avoir besoin de
dont
en cas de

Vocabulary

le bras
le cerveau
le coeur
le corps
le cou
la digestion

les doigts	*allonger*
les doigts du pied	*baisser*
les enzymes	*fermer*
l'épaule	*frapper*
l'estomac	*hausser*
le foie	*ouvrir*
le genou	*plier*
les hanches	*remuer*
la jambe	*secouer*
la main	*sourire*
le muscle	*tirer*
les oreilles	*toucher*
l'oxygène	*tourner*
les paupières	
le pied	*analyser*
la pompe	*circuler*
les poumons	*commander*
les reins	*enregistrer*
le sang	*mélanger*
la tête	*remplir*
l'urine	*retenir*

---

1 A deux. (AT4/2)

a Combien de parties du corps pouvez-vous nommer en quatre minutes? Faites une liste.

A simple joint brainstorming exercise to see how many words for parts of the body pupils can recall before comparing their lists with the ones the French teenagers list.

 Support worksheet 12 (AT4/1) has help with revision of parts of the body.

b Ecoutez: Combien de parties du corps est-ce que nous avons nommées? (AT1/3)

Pupils listen and tick the words they hear on their own lists, adding any new ones. Some might think of additional words of their own to add.

- Commençons en haut: la tête, les yeux, le nez, la bouche et les oreilles ...
- ... les cheveux, le menton, la bouche ... Non, tu l'as déjà dit, hein?

- Oui. Le cou ...
- ... les épaules, le bras, le coude, la main ...
- ... le poignet ...
- ... les doigts, le pouce ...
- ... le corps, l'estomac, le ventre ...
- ... les hanches, les fesses ...
- ... les jambes, les genoux ...
- ... les pieds, les doigts de pied ...
- Qu'est-ce qu'on a oublié? Le dos?
- Oui, c'est vrai.
- Ça suffit?
- Oui, ça suffit.

2 Ecoute: Un peu de gymnastique

a Qu'est-ce qu'on fait? C'est quelle image? (AT1/3)

Pupils have to identify which picture shows the appropriate action.

Answers: 1B, 2D, 4A, 4E, 5C, 6F

1 Allongez les bras au-dessus de la tête!
2 Et les épaules, haussez les épaules!
3 Secouez la tête!
4 Touchez les pieds, un, deux, allez-y!
5 Pliez les genoux, un, deux, ... et encore, un, deux!
6 Et tirez la langue ... Oh, là, là! Que vous êtes beaux!
   ... et souriez!

b Ecoutez et faites les exercices!

Replay the tape and let the pupils do the exercises themselves in class.

3 A deux: Donnez des instructions à un(e) partenaire. (AT2/3–4)

If there is room, pairs can take turns to make up an exercise sequence for each other or different pupils can take turns to be 'caller' for the whole class or group.

 Support worksheet 12 (see above) has instructions to complete.

4 **a Trouve le mot qui correspond à la partie du corps. (AT2/3–4, AT3/1)**
Pupils should be able to discuss which parts of the body are which, e.g.
- *Le foie, qu'est-ce que c'est en anglais?*
- *Je ne sais pas. Il faut le chercher dans le vocabulaire.*
- *'Liver'. C'est quelle lettre? A?*
- *Qui pense que le foie est A?*

Answers: A le coeur, B le foie, C le cerveau, D les reins, E les poumons, F l'estomac

b C'est quelle partie du corps? (AT3/5)
It should now be possible for pupils to work out which part of the body is being referred to in each sentence by recognising cognates and words they have already met, and with the help of the context. This is for gist reading comprehension and is not intended to be used for detailed translation.

c Ecoute et vérifie. (AT1/5)

 1 C. C'est le cerveau. Il commande, enregistre et analyse tout ce que tu fais et tout ce que tu penses.
2 E. Ce sont les poumons. Ils se remplissent d'air et font passer dans le sang l'oxygène dont ton corps a besoin pour vivre.
3 D. Ce sont les reins. Ils retiennent tous les déchets que le sang a trouvés dans le corps et les transforment en urine.
4 A. C'est le coeur. Il marche comme une pompe. C'est un muscle qui fait circuler le sang dans tout le corps.
5 B. C'est le foie. Il filtre le sang. Il garde en réserve les sucres dont on aura besoin en cas de fatigue.
6 F. C'est l'estomac. Il mélange ce qu'on a mangé avec des enzymes et commence le processus de la digestion.

 At this point you could use the worksheet **Au choix 42 (Lire A** Reinforcement); see page 69 below.

Chez toi (AT4/3–4)
Pupils write up the phrases practised in exercise 3.

2 *Ma peau* *(Pupil's Book pages 54–55)*

<table>
<tr><th>Main topics and functions</th><th>Vocabulary</th></tr>
<tr><td>

• Giving advice

Other aims

• Writing skills
• Developing reading skills
• Using reference materials

Structures

• Imperatives in the second person singular:
  Bois ...
  Fais ...
  Lave ...
  Mange ...
  Trouve ...
  Utilise ...

chaque jour
en moyenne
de peur que

</td><td>

*all vocabulary receptive only

l'acné	*la sueur*
une artériole	*les substances toxiques*
un bouton	*une veinule*
	le visage
le derme	
le dos	*éliminer*
épais(se)	*s'empêcher de*
l'épiderme (m)	*se moquer de*
une glande	*oser*
sébacée/sudoripare	
les lèvres	
les paupières	
la peau	
un poil	
un point noir	
une pore	
un problème	
un produit	

</td></tr>
</table>

1 A deux: Lisez les textes et faites la liste des mots inconnus. Cherchez-les dans le petit dico. **(AT3/5–6)**

Pupils should be able to 'make sense' of the texts, as the subject matter is likely to be familiar. They should recognise a lot of the words, either because they are cognates or through the context.

☞ Support worksheet 13 provides another gapped text to complete, and help with giving advice. **(AT3/3–4, AT4/3)**

Answers (2):
boire beaucoup d'eau: C
faire des exercices: B
se laver régulièrement: D
manger beaucoup de fruits et de légumes: A
utiliser une crème antibactérienne: E

2 A deux: Choisissez des produits pour Christophe et expliquez-lui pourquoi. **(AT2/4, AT3/4)**

Pupils have to choose from the products advertised and make up a sentence saying why the product they have chosen should be used.

3 Ecoute: Choisissez des produits pour Murielle et Arnaud. **(AT1/5)**

They do the same for Murielle and Arnaud, after listening to their problems.

[Murielle] J'ai des boutons et des points noirs. J'ai toujours eu un problème depuis que j'ai douze ans. On m'a dit de ne pas manger de graisses, et je mange beaucoup de fruits et de crudités ... et aussi je bois beaucoup d'eau ... mais j'ai toujours des boutons.
[Arnaud] Je fais beaucoup de sport et de jogging, mais je transpire énormément. Si je veux sortir avec des amis, je suis obligé de me laver avec un savon déodorant, de changer de chemise et de mettre de l'eau de toilette.

4 Ecris des conseils pour un garçon comme Christophe. **(AT4/3–5)**

Writing advice for people with skin problems. This introduces the imperative form in the singular – writing to one person.

Some pupils could cut adverts out of magazines and put together advice for a larger audience, changing the *tu* to the *vous* form. Check that they remember the forms *Faites ...!* and *Buvez ...!*

If pupils want to make a page of items and advice, this could be kept for later use in their newspapers/magazines.

Another activity would be to make an *Anti-acné!* display with pictures cut out of magazines. Most pupils will probably know enough about the subject to be able to say what people with skin problems are usually advised in teenage magazines: to eat lots of fresh fruit and vegetables, to drink lots of water and to take regular exercise.

At this point you could use the worksheet **Au choix 55 (Lire C** Extension); see page 70 below.

Chez toi   (AT4/4–6)

The homework activity is to write a reply to Christophe.

L'avenir dans vos mains (*Pupil's Book pages 56–57*)

Main topics and functions

- Talking about personal characteristics and horoscopes

Other aims

- Expressing opinions
- Extended listening and reading skills
- Developing awareness of language

Structures

- The future tense
- The near future: *aller* + infinitive

vous and *tu* forms

peu de

Vocabulary

la main:
*l'annulaire
*l'auriculaire
*le doigt
*l'index
*la ligne de coeur/de destinée/de tête/de vie
*le majeur
*la paume
*le petit doigt
*le poignet
*le pouce

absent(e)
carré(e)
courbe
court(e)
descendant(e)
droit(e)
étroit(e)
horizontal(e)
irrégulier/ière
long(ue)
montant(e)
profond(e)

rectangulaire
régulier/ière
vertical(e)

le caractère:
aimable
confiant(e)
équilibré(e)
intellectuel(le)
intuitif/ve
jaloux/se
ouvert(e)
passionné(e)
rationnel(le)
sentimental(e)
tranquille
turbulent(e)

---

1 a Ecoute: C'est quel type de main? Terre, air, feu ou eau? (AT1/6)

Pupils have to listen and name the different types of hands illustrated.

They should be able to note down some of the things which are said about each hand type, especially their own, and see if they agree with the statements.

Answers: A terre, B air, C feu, D eau

1 – Paume carrée, doigts courts et peu de lignes ... mmm ... c'est la main 'terre'. Tu as la paume carrée, toi, et les doigts courts: ça signifie ... de la force et de la stabilité. Dis donc, toi, stabilité! Tu changes d'avis toutes les deux minutes ...
   – C'est pas vrai!
   – Ils n'aiment pas trop le changement et les idées nouvelles ... Ils sont bons travailleurs et aiment l'effort physique ... C'est pas vrai. Toi, bon travailleur? Tu aimes l'effort physique?!!
2 – Si la main est longue et les doigts sont longs aussi, c'est la main 'eau'. Ça signifie que la personne est calme à l'extérieur ... mais avec une grande force à l'intérieur ... Oh, là, là! Grande force intérieure! Les gens avec les mains 'eau' ont une personnalité équilibrée, douce et généreuse ... oui, c'est vrai ... et savent dominer leurs émotions et leurs tourments intérieurs. Les lignes sont très bien tracées ... mmm.
3 – Si la paume est carrée, mais les doigts sont longs ... ça c'est toi, Caroline ... c'est la main 'air'. Les doigts sont plus fins, plus allongés ... et les lignes plus nombreuses, plus complexes. On a besoin d'échanger, de communiquer, de mouvement ... On les trouve souvent chez les artistes ... et les gens de personnalité ouverte ... qui savent s'adapter à toutes les situations.

4 – La paume rectangulaire, aux doigts courts, indique que la personne aime l'indépendance ... C'est la main 'feu'. Les lignes sont très denses ... Les gens avec les mains feu sont individualistes ... oui, c'est vrai ... enthousiastes ... d'accord ... et ils aiment se rendre utile .... mmm, je m'en doute ... Ils aiment le changement et la diversité et ils sont stimulés par les difficultés. Mmm ...

b Trouve quelqu'un qui a ... (AT2/3–5)

Pupils have to find someone in the class with each hand type.

They could take hand prints and label them.

They could take a sample of hand types in the class and check the owners' characteristics to see if they agree with the text.

2 a Ecoute: C'est quelle ligne? (AT1/6)

Pupils listen to identify the line being described on the drawing.

Answers: coeur: A–B, tête: C–D, vie: E–F, destinée: G–H

– C'est quelle ligne, la ligne de coeur?
– C'est la ligne la plus haute sur la paume, A–B. Voilà. Tu vas avoir beaucoup d'affaires, toi!
– Et cette ligne, qu'est-ce que c'est?
– Ça c'est la ligne de tête. Ça commence entre le pouce et l'index et traverse la main. La ligne de tête va souvent en parallèle avec la ligne de coeur.
– Et la ligne de vie?
– Elle commence souvent au même endroit que la ligne de tête, mais elle descend vers le poignet.
– Ça c'est la ligne de vie, alors?
– Oui. Tu vas avoir une vie très longue. Regarde, ta ligne descend directement vers le poignet et puis

elle se divise en deux. Ça veut dire que tu vas voyager beaucoup.
– Oh, je n'en crois rien.
– Ni moi non plus, mais c'est amusant tout de même!
– Et la ligne de destinée?
– Ça commence en bas, au poignet, et monte vers la ligne de coeur. Tiens, tu n'en as pas!
– Qu'est-ce que ça veut dire?
– Que tu ne sais pas encore ce que tu veux faire dans la vie.
– Oui, alors, ça c'est vrai!

b A deux: Regardez la main d'Eric et 'lisez' son caractère. (AT3/5)
Pupils work out and discuss what Eric's hand 'says' about him.

c Ecris un résumé. (AT4/4–6)
They write down their conclusions using the model given.

Some pupils might like to make a print of their own hand and write about it, or write an article for their newspaper or magazine.

Word patterns 5
(Les adjectifs) can be used here for revision and extension of adjectives, including characteristics, and adjective agreement.

3 Horoscope
a Fais des recherches. Trouve les dates et mets les signes du zodiac dans l'ordre chronologique. (AT2/3–4, AT4/1)
Pupils are expected to use their initiative and find out the ones they don't already know by asking people when their birthdays are and if they know what sign they are.

b Prépare un horoscope pour ton journal ... (AT4/5–6)
Pupils can write a simple horoscope for their own newspaper or magazine, using the near future.

c ... et pour ton/ta partenaire. (AT4/5–6)
They write a light-hearted horoscope for their partner.

At this point you could use the worksheets **Au choix 39 (Ecouter A Extension)** and **Au choix 43 (Lire A Extension)**; see below.

Mini-test 5
(AT2/3–6)

The sheet **Mini-tests 5 & 6** has models of the language needed for this test.

Reinforcement and extension worksheets

Au choix 38 (Ecouter A) (AT1/3–4, AT4/2)
Completing forms with **1** the speakers' personal details, and **2** pupils' own.

Fiches d'identité
1 Ecoute et remplis les fiches.
– Quel est ton nom de famille?
– Ploteau.
– Et ça s'écrit comment?
– P l o t e a u.
– Et quel est ton prénom?
– Je m'appelle Sarah.
– Et ça s'écrit comment?
– S a r a h.
– C'est quand ton anniversaire?
– C'est le 9 novembre.
– Le 9 novembre. Et dans quelle ville habites-tu?
– J'habite à Rouen.
– Ça s'écrit comment?
– R o u e n.
– Et quelle est ton adresse?
– 30, rue du Renard: R e n a r d.
– Et ton numéro de téléphone?
– 35 70 80 33.
– 35 70 80 33. Et qu'est-ce que tu fais quand tu as du temps libre?
– Je fais de l'équitation et du théâtre.

– Quel est ton nom de famille?
– Fabulet.
– Et ça s'écrit comment?
– F a b u l e t.
– Et quel est ton prénom?
– Jane.
– Ça s'écrit comment?
– J a n e.
– Quel âge as-tu?
– 16 ans.
– Et c'est quand ton anniversaire?
– C'est le 22 mai.
– Le 22 mai. Et dans quelle ville habites-tu?
– J'habite à Rouen.
– Quelle est ton adresse?
– 13, rue des Capucins.
– Et comment ça s'écrit, Capucins?
– C a p u c i n s.
– Et ton numéro de téléphone?
– 35 98 25 22.
– 35 98 25 22. Et qu'est-ce que tu fais quand tu as

du temps libre?
– Je fais de la danse classique ou de la natation, et parfois, j'écoute de la musique.

– Poissons. Pierre est Poisson ... 'Vous recevrez une réponse à une lettre ou un coup de téléphone important.' Il n'a pas de téléphone chez lui et il n'écrit jamais!
– Regarde, Verseau ... 'Magnifique période en amour. Vous pourriez recevoir un cadeau.'... Oh, là, là, c'est stupide.
– Eh, qu'est-ce que vous faites? Vous lisez les horoscopes? Qu'est-ce que c'est le mien? Je suis Cancer.
– Mais Janine, tu n'y crois pas!
– Si, j'y crois! Faites voir ... 'Vous aurez des intuitions étonnantes.' J'ai l'intuition qu'on va avoir un contrôle en maths. Je vais me préparer.
– Mais c'est la semaine prochaine!
– Vous ne saviez pas? On l'a changé. C'est aujourd'hui. Vous ne l'aviez pas lu dans votre horoscope?!
– Oh, merde!

Au choix 39 (Ecouter A)
1 Matching horoscope texts to the signs mentioned in the recording, then judging the speakers' attitudes. (AT1/6)
2 Writing horoscopes. (AT4/5–6)

1 a C'est quel signe?
b Qu'est-ce qu'ils en pensent? Ils y croient, ou pas?
– Mélissa, tu es de quel signe?
– Bélier.
– Tu vas avoir de la chance, toi. Tu vas 'recevoir de l'argent' et tu vas 'trouver un nouveau petit ami'.
– Fantastique. Je n'y crois absolument pas. Ça voudrait dire que tous les Béliers vont recevoir de l'argent, c'est stupide. Et toi, François? Tu vas trouver une nouvelle petite amie?
– Moi, je suis Taureau. 'Excellente période dans les études.' Dis donc. Nous avons un contrôle en maths la semaine prochaine ...
– Qu'est-ce qu'ils disent pour le Lion? Maurice est Lion.
– 'Tout va bien côté coeur. Il se pourrait que ce soit le moment pour tomber amoureux.' Voilà ton petit ami!
– J'éspère que ça veut dire avec moi. Oh, je ne veux pas qu'il trouve quelqu'un d'autre.
– Scorpion. Aline est Scorpion. 'Votre dynamisme étonnera et vous êtes capable de grands exploits!' Qu'est-ce qu'elle va faire? Qui sait? Sagittaire. Wilfried est Sagittaire ... 'Les amis seront à votre écoute et de bon conseil.' On va voir ... si on peut le séparer de son Gameboy.

Au choix 40 (Parler A) (AT2/3–4)
1 & 2 Interviewing a pupil and an adult and completing forms.

Au choix 41 (Parler A) (AT2/5–6)
Guided speaking about 'last weekend' using picture cues.

Au choix 42 (Lire A)
1 Texts about different types of hands for compréhension. (AT3/4)
2 Labelling parts of the body. (AT4/2)

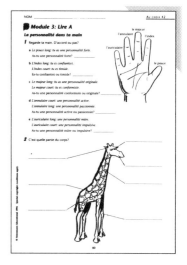

⋙ **Au choix 43 (Lire A) (AT3/5)**
1 & 2 Similar to the above, with more advanced texts.
3 Adjectives and agreement.

⋙ **Au choix 55 (Lire C) (AT3/5–6, AT4/5–6)**
A text about acne with comprehension questions and follow-up writing of advice.

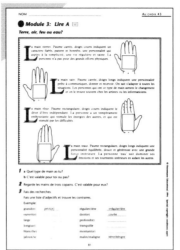

 Récréation (Pupil's Book pages 58–59) **(AT3/5–7)**

Jeu-Test: Es-tu à l'aise dans tes baskets?
Extended gist reading comprehension.

Trois poèmes
Reading and speaking for interest. The poems were all written by French teenagers. They are also recorded.

▶ ■ See page 59 of the Pupil's Book.

Word patterns 4
(Mon, ma, mes? Son, sa, ses?) may be used at this point for revision and practice of the possessive pronouns, or postponed until Module 4 or Module 5, where suggested below.

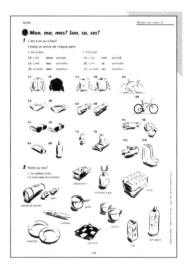

On est ce qu'on mange *(Pupil's Book pages 60–61)*

<table>
<tr><td>

Main topics and functions

- Talking about nutritional values of food and good eating habits

Other aims

- Expressing opinions
- Writing for a newspaper

Structures

- Verbs in the third person, singular and plural:
  apporte(nt)
  bâtit/bâtissent
  donne(nt)
  favorise(nt)
  nourrit/nourrissent
  protège(nt)

Vocabulary

les aliments:
le beurre
les boissons sucrées
les bonbons

</td><td>

les bouillons
les cacahuètes
les céréales
la charcuterie
le chocolat
la confiture
les crudités
l'eau
la farine
les frites
le fromage
les gâteaux
les haricots verts
les huiles
les jus de fruits
le lait
les légumes verts/secs
les noix
les oeufs
le pain
les pâtes
le poisson

</td><td>

les pommes de terre
le poulet
les raisins
le riz
les soupes
le sucre
les tisanes
la viande
le yaourt

*la digestion
*l'énergie
*les muscles
*les organes
*les os

*le calcium
*les fibres
*les glucides
*les graisses
*les liquides
*les protéines
*les vitamines

</td></tr>
</table>

1 **A deux. (AT2/2)**

a Qu'est-ce que c'est?
Revision. Pupils practise in pairs, revising the words they know/knew and looking up the ones they have forgotten.

More able pupils might find it more challenging to have to name all the pictures in a given time, e.g. 25 seconds.

b Qu'est-ce que ça vous apporte? (AT2/3–4)
Looking back at the table, or using knowledge they already have, pupils say what nutrients each of the foods illustrated provides.

c Qu'est-ce que vous en pensez? C'est bon ou pas? (AT2/3–4)
Now they say whether they think the foods are good for you or not, i.e. give an opinion on their nutritional value.

d Ecoutez et vérifiez: Vous êtes d'accord ou pas? (AT1/5–6)
Pupils now listen to French teenagers saying what the items illustrated are and whether they think they are good for you or not. Pupils can discuss whether they agree with them.

– 1, c'est du poulet. Qu'est-ce que ça nous donne?
– La viande ... des protéines. Ça nourrit les muscles et les organes.
– C'est bon ou pas?
– Bien sûr, c'est bon.
– 2, c'est du sucre. Ça n'est pas bon.

– Ça dépend. Ça nous donne de l'énergie, mais si on en mange trop, ça devient de la graisse.
– Oui, mais c'est mauvais pour les dents aussi.
– Qu'est-ce qu'on va mettre?
– Des glucides ... Pas bon.
– 3, qu'est-ce que c'est?
– Du beurre. C'est pas bon. Il faut manger de la margarine.
– Pas du tout. Le beurre est très bon. C'est naturel. Ça contient des graisses, mais aussi des protéines. Il ne faut pas en manger trop, c'est tout.
– OK. Des graisses et des protéines. C'est bon.
– 4: les bonbons. Ça vraiment, c'est pas bon.
– Oui, d'accord. Du sucre, pas bon.
– 5: les haricots verts. Les légumes, des vitamines. Bon?
– Oui, vitamines et fibres. Bon.
– 6, c'est du lait. Ça nous donne du calcium et des protéines. C'est très important, parce que ça bâtit les os.
– Oui, c'est bon.
– 7: les noix. Très bon?
– Ah, non. Quand mon père mange des cacahuètes, ma mère dit toujours que ce n'est pas bon. Ça le fait grossir.
– Qu'est-ce que les noix nous donnent? Des vitamines?
– Euh ... les noix ... euh ... des graisses. Ça nous donne de l'énergie. Pas bon?
– Oui, d'accord.
– 8: les crudités. C'est très bon.
– Oui, c'est bon.
– 9: les raisins. Des fruits, euh ... des vitamines et des fibres. Très bon.
– Très bon.

– 10: du pain. Ça contient des glucides, mais c'est bon.
– Oui, parce que c'est pas sucré.
– 11: les oeufs. Des protéines. C'est bon?
– Oui, et finalement ...
– 12: les frites. Ça c'est pas bon.
– Pas du tout! Les pommes de terre nous apportent des glucides et l'huile nous apporte des graisses. Ça nous donne de l'énergie, et en plus c'est délicieux!
– OK. Mettons: bon. Voilà, c'est fini.
– Bon. Au fast-food!

2 a Ecoute: Qu'est-ce que nous avons mangé hier? (AT1/5)

Four teenagers and one adult answer the question 'What did you eat yesterday?' Pupils listen and make brief notes.

 Pupils should make notes and discuss their answers with a partner before reporting back to the class.

1 – Qu'est-ce que tu as mangé pour le petit déjeuner?
– J'ai mangé une tartine de pain beurré, des gâteaux secs, et j'ai bu un grand bol de chocolat chaud.
– Et pour le repas de midi?
– Uhm, en entrée, des carottes râpées, et après, une viande grillée avec des frites.
– Et le soir, en rentrant, as-tu faim?
– Oh oui.
– A quelle heure est-ce que tu manges le soir?
– Je mange à 20.30h, 21h.
– Et qu'est-ce que tu manges?
– Uhm, euh, ça dépend. Hier, j'ai mangé du poisson, avec des pommes de terre à la crème.
2 – Qu'est-ce que tu as mangé hier, pour le petit déjeuner?
– Pour le petit déjeuner, j'ai bu un grand bol de café au lait, avec deux tartines et du chocolat.
– Et pour le repas de midi?
– J'ai mangé du poisson, avec du riz, et puis en entrée, j'avais pris du pamplemousse.
– Et le soir, en rentrant, tu as faim?
– Oui, souvent je goûte.
– Et à quelle heure tu manges le soir?
– Je mange vers, uhm, 20h.
– Et tu manges quoi?
– Hier, j'ai mangé de la purée avec un bifteck.
3 – Qu'est-ce que tu manges pour le petit déjeuner?
– Oh, ça dépend. Hier, euh, j'ai bu un grand bol de céréales, avec un verre de jus d'orange.
– Et pour le déjeuner?
– Ben, hier, euh, j'ai mangé de la salade en entrée, et un pot-au-feu.
– Et le soir, en rentrant du collège, tu as faim?
– Ah oui, toujours.
– A quelle heure tu manges le soir?
– Vers 19.30h.
– Et qu'est-ce que tu manges?
– Hier, euh, j'ai mangé de la soupe.
4 – Qu'est-ce que tu as mangé hier, pour le petit déjeuner?

– Euh, hier, j'ai mangé un toast et ... un bol de lait.
– Et pour le grand déjeuner?
– Euh, il me semble que j'ai mangé des petits pois et des carottes.
– Et le soir, en rentrant de l'école, tu as faim?
– Oui, énormément.
– A quelle heure tu manges le soir?
– Euh, vers 20.30h.
– Et qu'est-ce que tu prends pour le dîner?
– En général, c'est ... ça dépend, ce ... ça peut être beaucoup de légumes et quelquefois de la viande.
5 – Qu'avez-vous mangé hier, pour votre petit déjeuner?
– Hier, au petit déjeuner, j'ai bu une tasse de thé et j'ai mangé deux tartines de pain grillé avec du beurre et de la confiture.
– Et pour votre repas de midi?
– A midi, euh, j'ai pris en entrée une salade niçoise, des spaghettis carbonara, et en dessert une grappe de raisin, le tout accompagné d'un petit vin de Bordeaux.
– Et le soir, en rentrant de votre travail, vous avez faim?
– Ah oui. Oui, oui, oui. Je dîne vers 19.30h, 20h.
– Et qu'est-ce que vous mangez au dîner?
– Au dîner? Euh ... une salade verte, des pommes de terre au lard, et en dessert, une crêpe au chocolat.

b A deux: A votre avis, c'est bon ou pas? (AT2/4–5)

Pupils say whether they think the speakers ate healthily or not.

3 Ecris un article pour ton journal. (AT4/4–6)

Guided writing about foodstuffs. This should be kept to make into an article for their personal newspapers or magazines and as an example of a different style of writing.

 At this point you could use the worksheet **Au choix 49** (**Lire B** Extension); see page 78 below.

Chez toi (AT4/4–6)

Pupils write a list of what they ate yesterday and say whether it was 'good' for them or not.

More able pupils should say why they think it was good or not.

5 *Bonne cuisine, bonne mine* (Pupil's Book pages 62–63)

Main topics and functions

- Talking about food
- Shopping dialogues (revision and extension)

Other aims

- Extended speaking
- Extended listening and reading

Structures

- Imperative in the second person plural:
  Ajoutez   *Mettez*
  Assaisonnez   *Montez*
  Coupez   *Parsemez*
  Epluchez   *Sortez*
  Faites cuire

On en a
On n'en a pas
Il faut en acheter

Vocabulary

des amandes effilées *une noix de muscade*
 la confiture *le papier d'aluminium*
 la crème fraîche *une pincée de sel*
l'essence de vanille *la poudre de noix*
la farine de blé *du sel*
le fromage blanc *le sésame*
une gousse d'ail/de vanille *du sucre en poudre*
des grains de sésame
le gratin *une barre de chocolat*
du gruyère râpé *une cuillerée à café*
la levure *la moitié*
les noix *une tranche*

---

1 Ecoute. (AT1/4–5)

a Qu'est-ce qu'ils vont faire?

Pupils look at the four pictures and listen to the speakers discussing ingredients to work out which they are going to make.

Answers: 1 pains maison au sésame, 2 bananes en papillotes, 3 gratin dauphinois, 4 gâteau aux noix et au chocolat

b Qu'est-ce qu'ils doivent acheter? Fais des listes.

Pupils should be able to write lists of the ingredients they still have to buy.

Answers: 1 levure, sésame, 2 papier d'aluminium, confiture (aux fraises), bananes, 3 beurre, pommes de terre (1kg), gruyère (100g), 4 fromage blanc (100g), sucre en poudre, oeufs, chocolat noir (1 barre)

Support worksheet 14 is available to help less able pupils. It gives the other three recipes so that they can tick the ingredients the French teenagers have got and copy out the rest. There is also a shopping list to write and pizza ingredients to list.

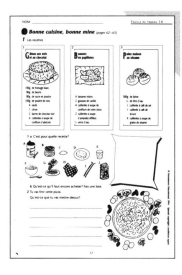

1 – Qu'est-ce qu'il faut acheter? De la farine?
  – On en a déjà à la maison.
  – Farine de blé?

– Oui. On en a.
– Sel?
– Oui, ça aussi.
– Une cuillerée à café de levure?
– Oui, pour ça il faut aller à la boulangerie. Quoi d'autre?
– Du sésame?
– Il faut en acheter.
2 – On a besoin de quoi?
– De papier d'aluminium.
– Oui, il faut en acheter. Quoi d'autre?
– De la confiture.
– Quelle sorte de confiture?
– N'importe.
– Qu'est-ce qu'on prend?
– Aux fraises?
– On n'en a pas. Il faut en acheter.
– Des gousses de vanille?
– Non. Mais on a de l'essence de vanille.
– OK. Amandes effilées.
– Oui, les voilà.
– Et des bananes, bien sûr.
– Oui. Je vais en acheter.
3 – On a besoin de quoi?
– D'abord ... euh ... de beurre.
– Le voilà. Ah, non. Il n'y en a pas assez. Il faut en acheter.
– De la crème fraîche ...
– C'est dans le frigo. La voilà.
– Des pommes de terre.
– Combien?
– Un kilo.
– Non, pas assez. Il faut en acheter.
– Une gousse d'ail.
– De l'ail. Voilà. Combien? Une gousse?
– Oui.
– Une noix de muscade.
– Il y en a quelque part. Oui, voilà.
– Et du gruyère râpé.
– Oh zut! Il n'y en a pas. Il faut en acheter.
4 – Je lis le menu et tu sors les ingrédients. 80g de beurre.
– Ouais.

- 100g de fromage blanc.
- Non.
- OK. Je vais faire une liste. Fromage blanc.
- 80g de sucre en poudre.
- Non. Il faut en acheter.
- 100g de poudre de noix.
- Oui, voilà: noix en poudre. Il y en a assez.
- Quatre oeufs.
- Non. Il ne nous en reste que deux.
- Un citron.
- Oui, en voilà un.
- Deux barres de chocolat noir.
- Non, il n'y en a qu'une. Il faut en acheter.
- Quatre cuillerées à soupe de confiture d'abricots.
- Fraises, framboises, pêches, Nutéla ... ah, voilà: aux abricots. C'est tout?
- Oui, c'est tout.
- Tu as de l'argent, toi?
- Oui. OK, allons-y.

2 a Prépare un gratin dauphinois. (AT3/5)

This is the recipe for one of the dishes shown, a vegetarian dish using potatoes and cheese. It would be nice to think that pupils could make it up in school (or at home). The other three recipes are given on **Support worksheet 14** (see above) so that they have a choice of dishes to make.

b Fais des recherches: Trouve et écris une recette pour ton journal. (AT4/4–6)

Using the recipe given as a model, they can write French versions of their favourite recipes for their newspaper or magazine.

3 A deux: Vous allez faire un potage aux légumes et une salade de fruits. Choisissez vos ingrédients et faites une liste. (AT2/4, AT4/2–3)

Pupils can choose from the items illustrated.

They might like to be more ambitious and add some of their own.

4 a Ecoute: Qu'est-ce qu'ils achètent? Ça coûte combien? (AT1/4)

Pupils note down the ingredients which need to be bought and the quantities.

- Je voudrais 500g de fraises.
- 500g de fraises ... 15F. Et avec ça?
- Un citron, de la salade et 500g de tomates.
- Un citron 3,50F, une salade 2,20F et des tomates 8,30F. C'est tout?
- Non. 500g de bananes.
- 500g de bananes: 9,50F. C'est tout?
- Avez-vous des poires et des pêches?
- Oui. Combien en voulez-vous?
- 500g de poires et un kilo de pêches.
- Les poires 8,20F et les pêches 28F.

- Deux kilos de pommes de terre et 500g d'oignons, s'il vous plaît.
- Alors, les pommes de terre 8,40F et les oignons 8,60F. C'est tout?
- Oui. Ça fait combien?
- Alors, ça fait, ça fait 91,70F.

b Au marché: Jeu de rôles (AT2/4)

This is a guided role play.

Pupils should use the model a couple of times and then progress towards improvising a shopping scene using just a recipe or shopping list.

Word patterns 7
(Du, de la ou des?)
may be used at this point for revision and practice of the partitive forms.

At this point you could use the worksheets **Au choix 44 (Ecouter B** Reinforcement), **46 (Parler B** Reinforcement) and **48 (Lire B** Reinforcement), and **Au choix 54 (Lire C** Reinforcement); see page 76–78 below.

Chez toi (AT4/3–5)

Homework is to devise a healthy menu for the next day's meals.

Pupils should explain why it is healthy.

6 Vive le sport! *(Pupil's Book pages 64–65)*

Main topics and functions

- Sports (revision and extension)
- Saying what is wrong with you and what has happened

Structures

- Perfect tense in the first person singular:
  j'ai fait
  j'ai joué
  j'ai mangé
  je suis tombé(e)
  je me suis fait mal
  je me suis cassé la jambe
j'ai mal au coeur
de temps en temps
celui qui ... gagne
le but du jeu, c'est de ...
marquer un but
on a ...
on joue avec ...

Vocabulary

*l'aikido	le judo
*l'ambiance	le karaté
*les arts martiaux	le kendo
le badminton	la natation
une balle	le parapente
un ballon	le ping-pong
le basket	la planche (à voile)
le bateau à voile	la plongée
le canoë-kayak	une raquette
un centre hippique	le rugby
le défi	le ski
le dériveur	un terrain
une équipe	les aquatiques
l'équitation	les sports d'hiver
l'escalade	les sports individuels
l'escrime	le squash
un filet	le surf (des neiges)
le foot(ball)	le tennis
la GRS (gymnastique	le trampoline
rythmique et sportive)	le volleyball
un joueur	le VTT

1

a A deux: Combien de sports est-ce que vous pouvez nommer en quatre minutes? (AT2/2)
Begin with a brainstorming session to see how many words pupils know already and what they can say about sports.

b Ecoute: Quels sports préfèrent-ils? (1–6) (AT1/5–6)
French teenagers talking about sports.

 Pupils write down the sports they mention.

Pupils take notes and report back.

1 J'aime le football. J'aime jouer dans une équipe ... On s'entraîne ensemble deux fois par semaine. C'est bien. J'aime l'ambiance. On est entre amis. C'est une sorte de club. J'aime aussi la natation et la planche.
2 Je préfère les sports individuels comme l'escalade. C'est le défi que j'aime – moi contre moi-même. J'adore le ski et les sports d'hiver. J'ai commencé à faire du surf. C'est absolument superbe. On a la sensation d'être libre. On vole sur la neige. Le tennis n'est pas mal non plus.
3 J'aime la natation et les sports aquatiques ... la plongée. C'est vraiment fantastique de regarder les poissons et la vie sous-marine. L'année prochaine, je vais faire un stage de dériveur. Le dériveur, c'est un petit bateau à voile. J'ai toujours voulu faire du bateau.
4 J'aime les arts martiaux. Je fais de l'aikido et je voudrais apprendre le karaté, mais ... euh ... je voudrais faire du parapente aussi, et j'aime faire du VTT et de temps en temps je fais un peu de trampoline.

5 Je ne suis pas très sportive. Je joue un peu au tennis et au ping-pong ou volleyball avec mes amies, mais je préfère danser. J'aime regarder un bon match de foot au niveau national ou international, mais autrement je n'aime pas tellement regarder le sport à la télé.
6 Je fais de l'équitation. J'adore les chevaux. Je n'ai pas de cheval, mais je vais au moins trois fois par semaine au centre hippique. On apprend toutes sortes de choses. Quand je serai grande, j'aurai un cheval. Je ne sais pas comment je ferai ... mais j'y arriverai. Autrement, beh, le badminton ou GRS, gymnastique rythmique et sportive, c'est pas mal.

2

a Quels sports pratiquent-ils? (AT2/2–3)
Pupils deduce from the outfits which sport each person does.

Answers: 1 kendo,
2 gymnastique,
3 judo, 4 football,
5 équitation,
6 plongée, 7 rugby,
8 squash, 9 escrime,
10 vol libre/parapente,
11 canoë-kayak,
12 basket

 b C'est quelle sorte de sport? (AT3/2)
This exercise is on **Support worksheet 15.** Pupils classify various sports under different headings.

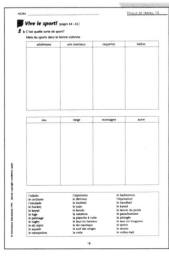

3 **A deux: Chacun(e) prépare trois phrases sur trois sports. Tu lis une phrase et ton/ta partenaire doit deviner: C'est quel sport? (AT1/4, AT2/3–5, AT4/3–4)**

Each pupil writes down three sentences about three different sports. They then read their sentences out one at a time to their partner. Pupils get 3 points if they guess the sport after hearing only one sentence, 2 points if they get it right after hearing two sentences, but only 1 point if they need three sentences. This could be played in pairs, groups or teams.

As a follow-up to this, on **Support worksheet 16**, there is a chance to practise saying what you think of a sport and giving reasons. (AT4/3–4)

4 **a Ecoute: J'ai mal ...! Qui parle? (AT1/4–5)**

Pupils listen to find out what is wrong with each speaker and match them to a picture.

Answers: 1 Laurent, 2 Vanessa, 3 Richard, 4 Arnaud, 5 Pierrette, 6 Lydie

1 J'ai trop mangé. On a fait un gâteau au chocolat et nous avions une barre de chocolat de trop et je l'ai mangée. Maintenant j'ai envie de vomir.
2 J'ai joué au tennis, et ... et je suis tombée et je me suis tordu la cheville et ... euh ... je me suis fait mal au pied.
3 Je me suis fait mal au genou. Je faisais du skate. J'ai essayé de sauter un petit mur, mais ... je n'ai pas réussi!
4 J'ai ce nouveau jeu Nintendo et j'ai joué avec jusqu'à une heure du matin ... Mes parents n'en savaient rien, ils dormaient ... Maintenant j'ai un mal de tête affreux.
5 Je faisais du surf ... Je faisais la queue pour le lift. Il y avait un mec sur ses skis qui ne pouvait pas s'arrêter. Il s'est précipité sur moi et je suis mal tombée et je me suis tordu le poignet et la main.
6 Je me suis disputée avec mon frère. Il m'a poussée et je suis mal tombée et je me suis cassé le bras.

b Ecoute une deuxième fois. C'est arrivé comment?

They listen again and report back by saying or writing down what happened to each person.

Word patterns 6 (*Masculin, féminin ou pluriel?*) may be used here when talking about where it hurts.

5 **Prépare un quiz sur le sport pour ton journal. (AT4/3–5)**

The quizzes should be kept for the pupils' magazine or newspaper.

> At this point you could use the worksheet **Au choix 45 (Ecouter B** Extension); see below.

Mini-test 6
(AT2/3–5)

The sheet **Mini-tests 5 & 6** has models of the language needed for this test.

Reinforcement and extension worksheets

Au choix 44 (Ecouter B)
1 & 2 Recognition of foods vocabulary and prices. (AT1/3–4)
3 Understanding the speakers' opinions; saying whether one agrees and discussing with a partner. (AT1/4–5, AT2/4–5)

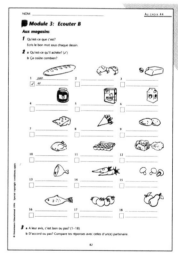

1 a Qu'est-ce qu'il achète?
  b Ça coûte combien?
1 – Bonjour monsieur. Un pain s'il vous plaît.
   – Un pain. Voilà, 4F.
2 – Bonjour madame. 500g de beurre ...
   – Voilà, 15,50F.
   – ... un litre de lait ...
   – Un lait: 6F.
   – ... du fromage ...
   – Mais oui, mais quelle sorte de fromage?
   – Un camembert, s'il vous plaît.
   – Un camembert. Voilà, un camembert: 11,80F. C'est tout?
   – Oui, c'est tout.
3 – Je voudrais de la salade ...
   – Une salade: 5,60F.

- ... un kilo de tomates ...
- Un kilo de tomates: 13,10F.
- ... 500g de carottes ...
- Des carottes: 500g de carottes: 3,05F.
- ... et un kilo de pommes de terre.
- Un kilo de pommes de terre: 7F.
- Un kilo de pommes et un kilo d'oranges.
- Voilà, les pommes, un kilo de pommes: 13F, et les oranges: 14F. C'est tout?
- Oui, c'est tout.

3 a A leur avis, c'est bon ou pas?
- Bon. Je vais acheter du pain et des croissants.
- Pas de croissants, ils contiennent trop de beurre, trop de calories.
- OK. Pas de croissants. Du beurre?
- Oui, un peu. C'est bon, mais il ne faut pas en manger trop.
- De la confiture? Non, c'est trop sucré. Des céréales?
- Oui, c'est bon.
- Euh ... du lait?
- Oui, il faut en acheter, mais si tu achètes du demi-écrémé c'est mieux.
- Du fromage?
- Oui, c'est bon, mais pas trop.
- Des frites?
- Non. Trop de graisse. Achète des pommes de terre.
- Du poulet?
- Oui, c'est bon.
- Des oeufs?
- Oui, très bon, mais il ne faut pas en manger trop à la fois.
- De la salade?
- Oui, c'est bon. C'est la mayonnaise qui n'est pas bonne.
- Jambon. Non, c'est pas bon.
- Pourquoi?
- Je ne sais pas. Les carottes?
- Bon, surtout cru.
- Les champignons?
- Je ne sais pas.
- Du poisson?
- Très bon. Très riche en toutes sortes de choses.
- De toute façon, les tomates et les fruits sont tous bons.

Au choix 45 (Ecouter B)
1 & 2 A survey of opinions on sports: pupils fill in a grid and write up the results. **(AT1/4–5)**
3 Pupils give their own opinions. **(AT4/4–5)**

Les sports
1 Comment trouvent-ils ces sports? Remplis la grille.
1 – Guillaume, que penses-tu du foot?
- J'aime le foot.
- Et le tennis?
- J'aime également le tennis.
- Aimes-tu le cheval?
- Je ne sais pas. Je n'ai jamais essayé.
- As-tu déjà essayé la natation?
- Oui, mais je n'aime pas.
- Pratiques-tu le vélo?
- Oh oui, et j'adore.
- As-tu essayé le parapente?
- Non, je n'ai jamais essayé.

- Le ski?
- Non plus.
2 – Sarah, aimes-tu le foot?
- Non, je n'aime pas le foot.
- Et le tennis?
- Non, pas le tennis non plus.
- Fais-tu du cheval?
- Oui, j'aime bien le cheval.
- Et la natation aussi?
- Oui!
- Pratiques-tu le vélo?
- Oui ...
- As-tu déjà essayé le parapente?
- Non, je n'ai jamais essayé.
- Et aimes-tu le ski?
- Je n'ai jamais essayé non plus.
3 – Stan, aimes-tu le foot?
- Bof.
- Tu n'aimes pas le tennis?
- Non plus.
- As-tu déjà fait du cheval?
- Je ne sais pas, euh, j'ai jamais essayé.
- Beh, tu as essayé la natation?
- Oui, j'aime bien.
- Et le vélo?
- Ça aussi, j'aime bien.
- As-tu déjà essayé le parapente?
- Oui, souvent, et j'aime beaucoup.
- Le ski aussi?
- Je ne sais pas, euh, j'ai jamais essayé.
4 – Delphine, aimes-tu le foot?
- Oui, j'aime bien.
- Et le tennis?
- Aussi.
- Que penses-tu du cheval?
- Je ne sais pas. Je n'ai jamais essayé.
- Tu pratiques la natation?
- Oui, mais ... je n'aime pas trop.
- Aimes-tu le vélo?
- Oh, non plus.
- Et le parapente, as-tu déjà essayé?
- Non, j'ai jamais essayé.
- Le ski te passionne?
- Ah oui, j'adore ça!
5 – Alexei, que penses-tu du foot?
- J'aime bien.
- Et le tennis aussi?
- Ah non, ça je n'aime pas du tout.
- Le cheval, là, tu aimes?
- Non plus.
- Aimes-tu la natation?
- Non.
- Et le vélo?
- Ça, j'adore!
- Ah. As-tu déjà essayé le parapente?
- Non, mais j'aimerais bien essayer.
- Le ski aussi?
- J'aime bien.
6 – Cécile, aimes-tu le foot?
- J'ai horreur du foot.
- Et le tennis?
- Ça, j'adore.
- Le cheval aussi?
- Le cheval, je n'ai jamais essayé.
- Tu as déjà essayé la natation?
- Oui, j'aime bien.
- Aimes-tu le vélo?
- J'aime bien aussi.

– Et le parapente?
– Ça va.
– As-tu déjà pratiqué le ski?
– Je n'ai jamais essayé.

7 – Jane, joues-tu au foot?
– Euh non, pas du tout.
– Et au tennis?
– Oui, j'aime bien.
– Tu aimes le cheval?
– Sans plus.
– Est-ce que tu nages?
– Euh, non, pas vraiment.
– Aimes-tu faire du vélo?
– Mmm, ça dépend.
– As-tu déjà pratiqué le parapente?
– Euh, non, jamais.
– As-tu déjà skié?
– Oui, c'est ce que je préfère.

8 – Laurent, aimes-tu le foot?
– Oui, c'est ma grande passion.
– Et le tennis?
– Couci-couça.
– Es-tu déjà monté sur un cheval?
– Non.
– Aimes-tu la natation?
– Bof.
– Et le vélo?
– Oui, ça va.
– Pratiques-tu le parapente?
– Mm, parfois, mais je n'aime pas vraiment.
– As-tu déjà skié?
– Oui, et j'aime bien.

Au choix 46 (Parler B) (AT2/4)
A mapped shopping dialogue to practise in pairs.

Au choix 47 (Parler B) (AT2/5)
A mapped dialogue to practise in pairs, making arrangements to go out.

Au choix 48 (Lire B)
1 & 2 Recognising food vocabulary, with follow-up work on genders. (AT3/1–2)
3 Practising asking for items at the market. (AT2/2)

Au choix 49 (Lire B) (AT3/5)
A text for reading comprehension, with follow-up writing.

Au choix 54 (Lire C) (AT3/4)
A recipe to read and understand.

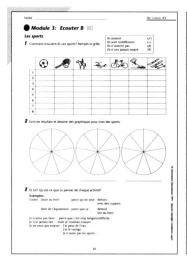

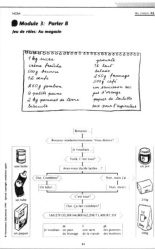

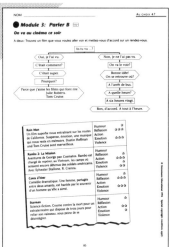

 Récréation *(Pupil's Book pages 66–67)* **(AT3/6–7)**

The concluding episode of the Jules Verne story.

7 *La grande évasion* (Pupil's Book pages 68–69)

Main topics and functions	Vocabulary	
• Talking about holidays • Describing campsites	*les activités* *une brochure* *un café/bar* *le camping* *un emplacement* *l'équitation* *le gîte* *l'hôtel* *un magasin* *la pêche* *une piscine* *la planche*	*la région* *les renseignements* *un restaurant* *les services* *les tarifs* *le tennis* *une tente* *le terrain de sport* *la voile* *à l'intérieur/à l'extérieur* *par personne/emplacement*

Other aims

• Expressing opinions
• Writing a formal letter

Structures

On pourrait aller ...
Il n'y a pas de ...
Je préfère ...
C'est trop loin

---

1 a Ecoute: Quel camping préfèrent-ils? (1–2) (AT1/5–6, AT3/3)

Two groups of three teenagers discussing which campsite they want to go to. Pupils listen and decide which site each group chooses.

Answers: 1 Camping de la Forêt, 2 Camping des Dunes

1 (1) Où est-ce qu'on va?
  (2) Pas trop loin. N'oublie pas qu'on y va à bicyclette!
  (3) Oui, mais on pourrait prendre deux jours. On pourrait même y aller en train. Ça ne coûte pas très cher.
  (2) Oui, mais ...
  (1) Courage! Je voudrais aller au bord de la mer.
  (3) T'es fou! Ça c'est vraiment loin.
  (1) Non, regarde. Camping des Dunes.
  (2) Oui, mais c'est cher.
  (3) Moins cher que le Camping du Lac.
  (2) Il faut absolument qu'il y ait une piscine.
  (1) Ou un lac!
  (3) Bon, il nous faut une piscine ou un lac.
  (1) Ah non, le Lac c'est trop cher.
  (3) Et un magasin?
  (2) C'est pas grave.
  (3) Un bar?
  (2) Si.
  (3) Tennis?
  (1) Je pourrais m'en passer.
  (3) La pêche?
  (2) C'est pas grave. On pourrait toujours y aller en vélo.
  (1) OK. Je vais prendre la décision! Une piscine, un bar et pas trop cher. On va au camping ...
2 (1) On va au bord de la mer?
  (2) J'aimerais bien.
  (3) Regarde. C'est cher.
  (2) Non, le Camping du Lac est plus cher.
  (3) Oui, c'est vrai.
  (1) Qu'est-ce qu'il nous faut?
  (2) Un bar!
  (3) Oui, ils ont tous un bar, sauf à la ferme.

  (2) Un resto?
  (1) Je pourrais m'en passer. On va manger au fast-food, ou on va le faire nous-mêmes.
  (3) Une piscine?
  (2) Si on allait au Camping de la Forêt on pourrait faire de l'équitation.
  (1) J'ai peur des chevaux. J'aurais préféré faire de la planche.
  (3) Je n'ai jamais essayé.
  (2) Bon, on va t'enseigner. C'est fantastique.
  (1) Bon, un magasin, un resto, un bar, mais pas de piscine. On pourra toujours aller à la piscine en vélo et ce n'est pas trop trop cher.

b A deux: Quel camping préférez-vous? Pourquoi? (AT2/4–6)

Pupils discuss the merits of the various campsites, decide on one and give the reasons for their choice.

2 a Une lettre à un camping: Copie et complète la lettre. (AT4/4)

This is a model for them to read and understand, complete by filling in the missing words and adapt if they write to a campsite.

Answer:
Monsieur,
Avez-vous un *emplacement* pour une *tente* du 14 juillet *au* 28 juillet? Nous sommes deux *adultes* et trois *enfants*. Nous *avons* une voiture. Pouvez-vous m'envoyer une *brochure* du camping, des *renseignements* sur la *région* et m'indiquer les *tarifs*? Est-ce qu'il y a une *piscine*? Quels sports peut-on pratiquer?
Je vous remercie d'avance,

b Ecris une lettre au camping que tu préfères. (AT4/4–5)

Pupils can now practise writing a letter to a campsite by adapting the letter above.

Support worksheet 17 has the gapped text to complete, and a picture as a stimulus for a new letter. (AT4/3–4)

3 a Où ont-ils passé leurs vacances? (AT3/5)
A gist reading comprehension exercise. Pupils read the postcards to find out about the writers' holidays.

Ça s'est bien passé? Pupils deduce whether the writers enjoyed themselves or not.

b Ecoute: Qui parle? (1–4) (AT1/5–6)
The writers of the postcards are talking to their parents or friends on the phone about their holidays. Pupils listen and work out which one is speaking.

Answers: 1 Guillaume, 2 Corinne, 3 Jacqui, 4 Charles

1 Qu'est-ce que tu fais? Je m'ennuie un peu ici, hein. Mes parents veulent toujours faire de longues promenades et je reste à l'hôtel. Le temps n'est pas tellement beau non plus. Il y a du vent en rafales qui donne beaucoup de vagues. La mer est trop agitée, on ne peut pas nager et quand on fait une promenade le long de la plage, le vent envoie du sable dans les yeux. J'ai joué au tennis avec une fille ... mmm ... qui est dans le même hôtel, mais elle n'est pas comme Véro ... Uhm? ... Mmm, non. Non. Elle est à la maison. Oh, elle va en Espagne avec ses parents la semaine prochaine.

2 Allô, maman? Il y a beaucoup de monde ici. On est un peu serré. Il faut faire la queue pour les repas, mais il fait un temps super. ... Non. Tu pourrais m'envoyer des biscuits ou quelque chose à manger? La nourriture n'est pas bonne

... Ouais, on a nagé et fait du vélo et j'ai joué au tennis ... et le soir, on joue aux cartes ou aux jeux de société. C'est pas mal.

3 Allô? C'est bien toi? Mes parents sont finalement sortis. Ils sont allés en ville. On va avoir un barbecue ce soir. Ils ont invité tous les voisins. La maison est super! Il y a une piscine et une grande terrasse. On mange toujours dehors, sauf hier soir quand il y a eu un grand orage. ... Fait? Non. Je ne fais rien. Je lis et je me repose au soleil, et quand il fait trop chaud, je vais dans la piscine. Je suis absolument paresseuse. C'est super. C'est dommage que tu ne puisses pas venir.

4 Je rentre après-demain, vers huit heures du soir. ... Euh, ici? Oui, ça se passe bien. Les monos sont OK pour la plupart ... Il y en a un qui ne m'aime pas et je dois toujours refaire la vaisselle, mais autrement ça va. On peut passer toute la journée sur la rivière si on veut, et ce soir, on va faire de l'escalade. Je te donnerai un coup de téléphone dès que j'arriverai. Ciao.

c A deux: Ecrivez un résumé. (AT4/5–6)
Pupils make a written summary using the information from the postcards.

Pupils use details from the phone calls as well.

Chez toi (AT4/5–7)
Guided writing of a letter or postcard: pupils have to imagine that the pictures show what they did on holiday.

8 Les sports d'hiver (Pupil's Book pages 70–71)

<table>
<tr>
<td>

Main topics and functions

• Talking about winter sports and clothes

Other aims

• Carrying out a survey, reporting back or writing up the results

Structures

... aiment faire du ski
... n'aiment pas faire du ski
... n'ont jamais fait de ski
... voudraient bien essayer
... ne s'y intéressent pas

</td>
<td>

Vocabulary

*all vocabulary receptive only

la luge
le ski de fond
le ski alpin
le surf (des neiges)

l'anorak
les bâtons
les chaussures de ski
les gants
les lunettes de soleil
les moufles
le pantalon
la salopette
les skis

</td>
</tr>
</table>

1 a Ecoute: C'est quel sport? (1–4) (AT1/5–6)

Pupils listen to identify the sport being referred to.

Answers: 1 surf, 2 ski de fond, 3 ski alpin, 4 luge

1 Aujourd'hui c'est la compétition de slalom parallèle. Il y a deux surfers qui partent au même moment. Voilà! C'est parti! C'est la bleue, c'est la bleue qui a un petit avantage ... Non ... non, non, c'est la rouge, c'est la rouge ... c'est la rouge qui semble reprendre l'avantage ... oui, oui, c'est bien ça, c'est la rouge qui va passer maintenant en tête! Oh, là, là, là, là, là, là. La rouge a raté une porte, elle est sortie et c'est la bleue qui gagne. J'avais parié pour la rouge, bon, mais c'est la bleue qui gagne, il faut bien reconnaître que la bleue était meilleure. Nicole Martier, donc, sur la piste bleue, en bleu, a gagné!

2 Mesdames, mesdemoiselles, messieurs, bonjour! Ici Roger Troquemuche de la grande Vasilopette, la célèbre course de ski de fond qui tous les ans a lieu dans les Vosges. Cela fait six heures que les concurrents ont pris le départ, et c'est Murielle Nichtine qui est en tête, après avoir devancé tous ses concurrents.

3 Hop, hop, hop, hop, ...! Avec un style extrêmement chaloupé, notre charmante Natalia Filipovna vient de déboucher du virage de la mort.

4 C'est une descente fantastique, ici à Saint-Moritz, de l'équipe française, qui, euh, va battre probablement tous les records établis jusqu'à ce jour ...

b Ecoute et note les résultats de notre sondage. (AT1/4)

Pupils make brief notes on the results.

As a follow-up activity pupils could do their own survey. All pupils should be able to use IT to present the results.

Let pupils choose one question to ask and report back on their findings.

Pupils should be able to ask more questions and make a comparison between their findings and the results of the French survey.

Nous avons fait un sondage dans notre classe, nous sommes 28 personnes.
J'ai demandé: 'Est-ce que tu aimes faire du ski?'
Les réponses sont:
11 aiment faire du ski.
3 n'aiment pas faire du ski.
14 n'ont jamais fait de ski, dont 10 voudraient bien essayer et 4 ne s'y intéressent pas.

2 a L'équipement: Qu'est-ce que Pascale a choisi? (AT3/4)

In this reading exercise pupils work out which of the items illustrated Pascale has chosen.

Answers: A, E, L, I, D

b Ecoute: Qu'est-ce que Martin a choisi? (AT1/4)

This is a similar listening exercise to find out which Martin would choose.

Si j'avais beaucoup d'argent, j'achèterais les skis rouges. Avec ça, je voudrais les chaussures rouges, les lunettes de ski en bas, la salopette, et les gants, parce que je n'aime pas les moufles.

c A deux: Choisissez votre équipement. Dis à ton partenaire ce que tu as choisi et pourquoi. Est-il/elle d'accord, ou pas? (AT2/4–5)

Pupils discuss which items they would prefer and give a reason for their choice.

3 Ecoute: Trouve les pistes que Pascale va descendre. (AT1/6, AT3/4)

Pupils listen and decide which ski slopes Pascale is going to go down.

Answers: Bleue d'Arare (1), Aller Chavanette (7), Lanches (3), Pschott (5), Combette & Crot (2)

- Qu'est-ce qu'on va faire?
- Je voudrais faire ... la bleue, parce que c'est la plus longue.
- Quelle bleue?
- On prend le télésiège Lacs Intrets et puis on descend la bleue d'Arare.
- Uhm ...OK. Bon, on commence avec la bleue d'Arare et puis on remonte le téléski de la Tête aux Boeufs et on descend vers Chavanette ...
- ... Chavanette? Ah oui ... Puis on prend le téléski Chavanette et on descend la rouge, Lanches ...
- ... Lanches, oui, la voilà ... et on prend le télésiège Fornet et on monte vers le Col du Fornet ...
- ... Fornet, oui ... et on descend Pschott ...
- Pschott ... Uhm ... On pourrait descendre jusqu'en bas, et puis remonter le télésiège Foillis – tu vois? – jusqu'au bar pour manger. Regarde, le bar ... en haut de la piste.
- Bonne idée.
- Puis cet après-midi on pourrait faire la noire pour descendre aux Prodains?
- La noire? Laquelle?
- Combette, c'est joli, on descend entre les arbres. Puis on prend la rouge, Crot, pour atteindre les Prodains.
- Bon, si tu veux. Allons-y.

4 a **Ecoute et lis: Une journée à la montagne (AT1/5, AT3/5)**
This is Pascale's account of her day's skiing. It is recorded so that pupils can listen as well as read.

See page 71 of the Pupil's Book.

b **Vrai ou faux?**
Now they decide if the statements are true or false.

Answers: 1F, 2F, 3V, 4F, 5F, 6F, 7F, 8V, 9V, 10V

c **Corrige les phrases qui sont fausses.**

Answers:
1 ... avec son père et son oncle.
2 Ils sont partis à sept heures/arrivés à neuf heures.
4 ... deux heures.
5 Il n'y avait personne ...
6 On ne sait pas quel temps il faisait.
7 Elle est tombée quelques fois au début.

> At this point you could use the worksheets **Au choix 50 (Ecouter C** Reinforcement), **51 (Ecouter C** Extension) and **52 (Parler C** Reinforcement); see pages 83–84 below.

Chez toi (AT4/5–6)
Pupils describe what has happened to the people pictured. This revises the work of the previous unit in the context of winter sports.

❾ *Page de lecture* (Pupil's Book pages 72–73)

Main topics and functions

- Personal characteristics (revision and extension)

Other aims

- Extended reading
- Developing awareness of language
- Independent learning and research skills

Structures

*all structures receptive only

- Past historic tense:

alla	*ouvrit un oeil*
arracha	*passa*
claqua	*prit*
demanda	*sauta*
fit tomber	*sortit*
fit	*tendit le bras*
lut	*trembla*
se mit à sonner	

plus ... plus ...:
> *Plus il mangeait, plus il grossissait.*

Vocabulary

*all vocabulary receptive only

ambitieux/se	*inquiet/iète*
bavard(e)	*intelligent(e)*
branché(e)	*maladroit(e)*
le bruit	*mince*
costaud(e)	*nerveux/se*
décontracté(e)	*nigaud(e)*
égoïste	*original(e)*
ennuyeux/se	*paresseux/se*
farfelu(e)	*patient(e)*
glouton(ne)	*pressé(e)*
gourmand(e)	*le silence*
grincheux/se	*silencieux/se*
gros(se)	*sportif/ve*
heureux/se	*stupide*
incroyable	*timide*
indépendant(e)	*tranquille*

1 Qui est-ce? (AT3/5–7)

These texts are for extended reading comprehension, with some new vocabulary and new tenses presented in a familiar context. Most pupils will probably know the Mr Men books. The fact that some of the stories will be familiar will make the texts easier to understand.

Although pupils do not yet need to be able to produce the past historic tense themselves, many French stories are written in this tense, so they need to recognise it. These simple texts were chosen in order to introduce the past historic in a simple, familiar, non-threatening context. Many pupils will be so busy reading them that they will not notice that the verbs are in an unfamiliar tense.

More able pupils might be asked to make a list of the verbs in the past historic and work out what the infinitives are. They may also be able to deduce why the imperfect is used in some extracts.

Answers: 1 Monsieur Maladroit, 2 Monsieur Costaud, 3 Monsieur Glouton, 4 Monsieur Pressé, 5 Monsieur Silence, 6 Monsieur Nigaud, 7 Monsieur Incroyable, 8 Monsieur Grincheux, 9 Monsieur Inquiet, 10 Monsieur Bruit

2 a A deux: Lisez la liste des traits de caractère. Traduisez-les en anglais. (AT2/5–6)

This is meant to make pupils look words up for themselves, develop research and dictionary skills and recognise the feminine and masculine forms.

b Fais des recherches: Choisis cinq adjectifs et trouve les contraires.

Further development of dictionary skills.

c Quelle sorte de personne es-tu? Fais une liste de tes traits de caractère. (AT4/3–4)

Pupils should now have enough vocabulary to write a few lines about the sort of person they are.

Word patterns 5 (*Les adjectifs*) is also appropriate this point (see page 68).

Chez toi (AT4/3–4)

Pupils are asked to choose a list of characteristics and find one person they know to represent each.

Reinforcement and extension worksheets

Au choix 50 (Ecouter C) (AT1/4)
Ski results to note on a grid.

Mesdames et messieurs, voici les résultats de la compétition de ski:
En descente:
Fischer, Autriche, numéro 1: 2 minutes 7 secondes, 5me.
Zurbriggen, Suisse, numéro 2: 2 minutes 1 seconde, premier.
Combremont, France, numéro 3: 2 minutes 5 secondes, 4me.
Girardelli, Luxembourg, numéro 4: 2 minutes 2 secondes, 2me.
Marciandi, Italie, numéro 13: 2 minutes 4 secondes, 3me.

Dans le slalom:
Picard, France, numéro 1: 1 minute 7 secondes 3 dixièmes, 3me.
Petersen, Norvège, numéro 2: 1 minute 7 secondes 4 dixièmes, 4me.
Tomba, Italie, numéro 3: 1 minute 7 secondes 1 dixième, premier.
Stenmark, Suède, numéro 4: 1 minute 7 secondes 2 dixièmes, 2me.
Hauser, Autriche, numéro 5: 1 minute 7 secondes 8 dixièmes, 5me.

 Au choix 51 (Ecouter C) (AT1/5–6)
Opinions on winter sports: pupils fill in a grid and then give their own opinion.

Les sports d'hiver
1 Qu'est-ce qu'ils en pensent?
1 Les sports d'hiver sont super! On est en plein air, on se détend ... ça fait du bien.
2 Je trouve ça horrible. On abat les arbres pour construire des remontées. C'est la destruction de l'environnement ...
3 As-tu vu une station de ski? Elles sont laides, laides ... comme une ville interplanétaire. En haut des montagnes, là où il y avait des jolis petits villages et des vieux chalets.
4 C'est bien pratique. On peut aller dans les magasins directement de l'appartement par des passages souterrains. Et le télécabine est devant la porte.
5 Le soir, on peut skier jusqu'à la porte de l'appartement. Les remontées sont bien, fréquentes ... Il y a des téléskis et des télésièges, il y a assez de place: il ne faut pas faire la queue ...
6 Les animaux perdent leur habitat. On détruit l'environnement pour construire des villes qui sont vides pendant l'été. On abat les arbres et on risque d'avoir des avalanches.

 Au choix 52 (Parler C)
1 Pupils choose a theme, carry out a survey and write up the results. (AT2/3–4)
2 Summarising survey results from a given grid. (AT4/4–6)

Au choix 53 (Parler C) (AT2/5–6)
Information gap exercise: finding a time for an outing and arranging a rendezvous.

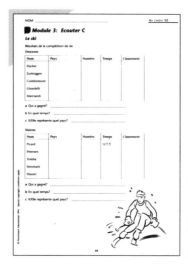
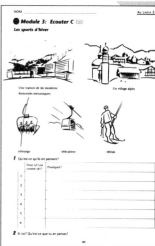

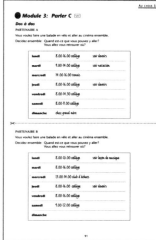

For **Au choix 54 (Lire C)** see page 78 above and for **Au choix 55 (Lire C** ⋀⋀⋀ **)** see page 70 above.

Bilan et Petit portrait *(Pupil's Book pages 74–75)*

Bilan

This appears on the sheet **Bilan 3** so that partners can test each other and tick off and initial items. There is a second set of boxes for the teacher to initial and space for comments.

Petit portrait (AT2/3–6, AT4/3–6)

This forms the basis of the written part of the *Contrôle* (see notes below). It can also be used as a stimulus for oral work. Ask pupils to prepare and give a short talk in either the first or the third person.

Contrôle

A

Listening: Core Level

This is on the sheet **Contrôle 3A**.

1 Pupils complete the amenities grid for Camping des Sapins. **(AT1/4)**

Answers:
● Restaurant, Café/bar, Voile ou planche; O Piscine

Total 4 marks

2 Pupils identify which campsite is chosen in each case and for what reason. Items 3 and 4 are harder, with more 'couching' language. **(AT1/4–5)**

Answers:
1 du Gorge: petit, campagne, cheval, pêche (5)
2 des Alpes: montagne, restaurant (3)
3 les Sables d'Or: bar, plage, planche, beaucoup d'activités (5)
4 du Gorge: rivière, kayak (3)

Total 16 marks

3 Pupils write a sentence to express their preference. Preparing pupils for answering in the target language at a higher level. **(AT4/3–4)**

1 Qu'est-ce qu'il y a au Camping des Sapins? Remplis la grille.
 – Il n'y a pas de piscine.
 – Mais il y en a une tout près.
 – C'est pas pareil. Et puis, il n'y a pas de terrain de tennis non plus.
 – Mais il y a un restaurant, un bar, et on peut faire de la planche et nager dans la mer ... on n'a pas besoin d'une piscine.
 – OK. On y va.

2 a Quel camping préfèrent-ils?
 b Pourquoi?
1 – Je préfère un camping petit, à la campagne.
 – Et on veut faire du cheval ... et aller à la pêche.
 – Bon, c'est facile ...

2 – Nous allons faire des escalades et des randonnées en montagne ... et puis quand on descend, on est trop fatigué pour aller en ville. C'est mieux un camping avec un restaurant et un magasin. S'il y a une piscine, tant mieux, mais le plus important c'est le resto.
3 – Un camping, pour moi, c'est un bar ... beaucoup de monde, beaucoup d'activités ... c'est trouver de nouveaux copains, aller sur la plage, faire de la planche ... s'amuser, aller danser le soir, se faire des amis ...
4 – Je veux faire du kayak, mais il n'y a rien avec des kayaks.
 – Mais si, il y a une rivière, et s'il y a une rivière, on peut faire du kayak.
 – Tu penses?
 – J'en suis sûre!

A

Listening: Extension Level

This is on the sheet **Contrôle 3A** .

1 Pupils listen for the quantities and then do a ranking exercise. **(AT1/4–5)**

Answers: A 32g (8); B 165g (17); C 13g (2); D 33g (9); E 145g (16); F 250g (19); G 25g (5); H 48g (11); I 11g (1); J 222g (18); K 30g (7); L 110g (15); M 28g (6); N 24g (4); O 100g (14); P 55g (12); Q 20g (3); R 70g (13); S 38g (10)

(19 marks for quantities and 1 mark for ranking)

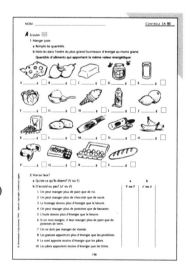

Total 20 marks

2 Pupils listen to the two French teenagers doing the quiz. They mark down what the teenagers say and then indicate whether they agree or not. **(AT1/5–6)**

Answers: 1V✓; 2V✗; 3V✗; 4V✓; 5F✗; 6F✓; 7F✓; 8V✓; 9F✗; 10F✓ (20 marks)

Total 20 marks

1 Manger juste.
 a Remplis les quantités.
 b Mets-les dans l'ordre du plus grand fournisseur d'énergie au moins grand.
Voici les quantités d'aliments qui apportent la même valeur énergétique:
la laitue 250g; la glace 48g; pour le miel 33g; et le sucre 25g; le fromage (du camembert, par exemple) 32g; les oeufs 70g; pour les pommes de terre, il faut 110g; pour la viande 55g; les biscuits seulement 24g; et le chocolat juste 20g; l'huile 11g; le beurre 13g; le pain 38g; le riz 30g; pour les pâtes, il faut 28g; et les

bananes 100g; les fruits (pommes ou poires) 165g; le lait 145g; pour les agrumes (les citrons, les oranges, les pamplemousses) 222g.

2 a Qu'est-ce qu'ils disent?
 b D'accord ou pas?

1 – On peut manger plus de pain que de riz. Vrai ou faux?
 – Euh, oui, ils contiennent tous deux des glucides ... euh ... oui, c'est vrai.

2 – On peut manger plus de chocolat que de sucre.
 – Beh, oui, le chocolat c'est du sucre et du cacao ... on peut en manger plus, c'est vrai.

3 – Le fromage donne plus d'énergie que le beurre.
 – Ça, je ne suis pas sûre ... peut-être. Je dirais: oui, c'est vrai.

4 – On peut manger plus de pommes que de bananes.
 – Je ne sais pas. Les bananes sont bonnes pour la santé, mais je crois que les pommes sont meilleures! Oui, vrai. Et?

5 – L'huile donne plus d'énergie que le beurre.
 – Non, je ne le crois pas. On dit qu'il faut manger plutôt de l'huile que du beurre, et la margarine, c'est fait avec de l'huile. Je dirais: non, faux.

6 – Si on veut maigrir, il faut manger plus de pain que de pommes de terre. Ça alors, je sais. Les pommes de terre sont meilleures.

7 – On ne doit pas manger de viande. C'est pas vrai.
 – Non, la viande, c'est plein de protéines. Il faut en manger ... pas trop, mais c'est bon pour la santé.

8 – Les graisses apportent plus d'énergie que les protéines.
 – Les graisses? Qu'est-ce que c'est?
 – Le beurre, l'huile, les noix ...
 – Et les protéines?
 – Ce sont le poisson, le fromage, le yaourt, le lait, la viande, etc.
 – Ça alors, je ne sais pas ... Les graisses en apportent plus?
 – Oui, on dit vrai.

9 – Le miel apporte moins d'énergie que les pâtes.
 – Non, ça c'est pas possible. Le miel est plein de sucre. Faux.

10 – Les pâtes apportent moins d'énergie que les frites.
 – Je ne sais pas ... Les frites sont des pommes de terre, elles n'apportent pas beaucoup d'énergie, mais elles sont cuites dans l'huile ... Je dirais, euh ... faux.
 – Qu'est-ce que tu en penses?
 – Qu'est-ce que tu en penses?

B Reading: Core Level

This has two texts on nutritional values of different foods, and is on the sheet **Contrôle 3B**.

1 Pupils tick the nutritional benefits for each food item. **(AT3/4)**
(18 marks: + 2 bonus points if all correct)

Total 20 marks

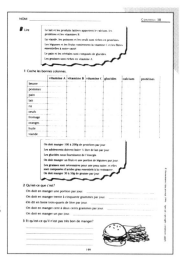

Answers:

	vitamines			glucides	calcium	protéines
	A	B	C			
beurre	✓	✓			✓	✓
pommes			✓			
pain		✓		✓		
lait					✓	✓
riz				✓		
oeufs						✓
fromage	✓	✓		✓	✓	✓
oranges			✓			
huile	✓					
viande						✓

2 Pupils work out which food each statement refers to. **(AT3/5)**

Answers: légumes; graisse; lait; protéines; fruit
(10 marks)

Total 10 marks

3 Pupils write a caption for the picture. Preparing pupils to respond in the target language when working at a higher level. **(AT4/4)**

Example: On ne doit pas manger trop de fast-food, par exemple les frites et les hamburgers. (2 marks)

B Reading: Extension Level

This is on the sheet **Contrôle 3B** .

1 Pupils write text for a publicity leaflet. **(AT4/4–6)**
Total 10 marks

2 Pupils tick the appropriate symbols. **(AT3/5)**

Answers:
A,B,C,D,E,F,H

Total 7 marks

3 Pupils say if they would like to go to Morzine or not and give a reason. (AT4/4)

Total 5 marks

C Writing: Core and Extension Levels

The stimulus for this is the *Petit portrait* on page 75 of the Pupil's Book. A range of activities can be set.

1 Ecris un texte pour chaque 'photo'. (AT4/3–4)
Pupils write a text for each picture.

2 Jeux d'imagination

a Tu es Jeanne. Qu'est-ce que tu fais normalement, le jour d'un grand match?

b Tu es journaliste de sport. Tu fais une interview avec un footballeur français. Prépare tes questions.

Activities **a** and **b** (AT4/4–5)

3 Tu es Jeanne. Ecris ton journal intime. (AT4/4–6)

Example: Je me suis levée à sept heures ...

Module 4: Chic alors! (Pupil's Book page 76)

Unité	Main topics and functions	PoS Part I	PoS Part II	Skills	Grammar
La Mode (pp.76-77)	Talking about clothing (revision and extension)	1a, 1h	A	L S R W Extended reading and listening Working in groups	Adjectival agreement *essayer de avoir peur de au lieu de*
Les chaussures (pp.78-79)	Talking about footwear Shopping dialogues (revision and extension)	1c, 2h	A	L S R W Expressing opinions	Adjectival agreement Plural forms
Le prix de votre look (pp.80-81)	Talking about clothes Giving opinions	1f, 1j	A	L S R W Extended speaking Expressing opinions Working with authentic materials	Direct object pronouns *il/elle me plaît il/elle ne me plaît pas je le/la/les trouve ...*
Récréation (pp.82-83)	Revision	1g, 2j	B	R Reading for interest (magazine items)	
J'ai perdu mon sac (pp.84-85)	Saying what you have lost	1e, 3h	A	L S R W Describing things Developing awareness of language	*il/elle a/est ils/elles ont/sont* Adjectival agreement *j'ai perdu ...*
Hier et aujourd'hui (pp.86-87)	Talking about the present and the past	1b, 2c	A, B	L S R W Making comparisons	Adjectival agreement Present vs. imperfect: *on porte .../on portait ... ils/elles sont.../ ils/elles étaient ... plus moins*
Un défilé de mode (pp.88-89)	Producing a fashion show	1d, 1e	B	L S R W Carrying out a creative activity in a group	*en coton/cuir*
Récréation (pp.90-91)	Festivals	1g	B	R Developing cultural awareness	
Chers lecteurs! (pp.92-93)	Talking about personal problems Giving advice (revision and extension)	1i, 1k	B	L S R W Extended reading Letter writing	*j'en ai marre de ... ça m'embête quand ... Qu'en pensez-vous? Qu'est-ce que je peux faire? Il faut + infinitive*
Le racket au collège (pp.94-95)	Talking about problems	2g, 4c	B, C	S R W Expressing feelings & opinions Extended reading	*leur ne ... jamais*
Je bouquine (pp.96-97)	Revision and extension	2j, 3h	A	L S R W Reading for interest (diaries) Developing awareness of language	
Bilan (p.98)	Revision			S	
Petit portrait (p.99)	Revision	3g	A, B	S W	
Contrôle	Revision			L R W	

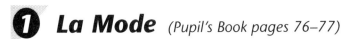 **La Mode** *(Pupil's Book pages 76–77)*

<table>
<tr><td>

Main topics and functions

• Talking about clothing (revision and extension)

Other aims

• Extended reading and listening
• Working in groups

Structures

• Adjectival agreement (revision)
essayer de
avoir peur de
au lieu de

Vocabulary

j'aime bien
être à la mode
exprimer
feuilleter
s'habiller
m'intéresse beaucoup

</td><td>

regarder
sortir

branché(e)
classique
la clique
décontracté(e)
le défilé
la façon
le look
la marque
la mode
un uniforme
les vêtements

abricot
beige
blanc(he)
bleu foncé
corail
écru(e)
gris foncé

</td><td>

jaune
marine
marron
noir(e)
parme
rose vif
turquoise
vert pâle
violet(te)

imprimé(e)
multicolore
à pois
à rayures
uni(e)

en acrylique
en coton
en jersey
en laine
en polyester

</td></tr>
</table>

1 a Lis et comprends. Cherche les mots que tu ne connais pas dans le vocabulaire. (AT3/4–5)

The text is French pupils' written reactions to the question: *Est-ce que vous suivez la mode avec intérêt, ou est-ce que vous vous en moquez?* This is an introductory exercise to enable pupils to familiarise themselves with some of the relevant vocabulary.

b Qui est-ce? (AT3/4–5)

Now pupils work out who is shown in each picture.

Support worksheet 18 has a similar exercise with English texts and models for writing about one's own attitude to fashion. **(AT3/4–5, AT4/3–4)**

Answers: A Nathalie, B Brice, C Coralie, D Nicolas

c Ecoute et vérifie. (AT1/2)

L'image numéro un c'est le frère de Nathalie. Le numéro deux c'est Coralie, trois c'est Brice et quatre c'est Nicolas.

d Ecoute: Qui parle? (AT1/5)

Pupils work out who is speaking.

Answers: 1 Nicolas, 2 le frère de Nathalie, 3 Coralie, 4 Brice

1 Allô? Maurice? Qu'est-ce que tu vas porter ce soir? ... Est-ce qu'il faut absolument porter un pantalon? ... Euh? ... Chez Stéphanie, t'avais oublié? ... à huit heures ... Est-ce qu'on peut y aller en short et en tee-shirt? ... Oui, je sais, mais comme on va manger dans le jardin ... j'ai pensé ... OK. Ciao.

2 Nat! Tu peux me prêter tes baskets? Les Converse! ... Je promets ... Non, je n'ai pas de mycose! ... Oui, je vais me laver les pieds! ... Oui, je vais mettre une paire de chaussettes propres ... Super! merci.

3 Tiens, c'est la nouvelle édition de Jeune et Jolie. Regarde ... cette robe, la bleue, French Connection, 450F. J'adore ça, et cette chemise blanche, Toto Robo. T'as vu?... Qu'est-ce que t'en penses, toi? ... C'est cher? 670F ... ah oui, c'est cher, mais c'est très cool.

4 Ranger ma chambre! Hmph! Ranger mes vêtements! C'est toujours la même chose. Je m'en fous de tout ça. Il y a des choses beaucoup plus importantes dans le monde ... les guerres, les gens qui se tuent, les arbres qu'on abat ... et ma mère ne sait que dire: Range ta chambre! Range tes vêtements!

2 a A deux. Les vêtements: Faites une liste de vêtements en quatre minutes. (AT4/2)

Now that the subject has been introduced, pupils are asked to brainstorm a list of words for items of clothing.

Some pupils might add other connected words, such as colours, fabrics and sizes. When pupils have written their lists they can look the words up to find out if they are masculine, feminine or plural and add that to their lists.

 Let pupils come out and write words up on the board to make a class list.

b Ecoutez: Cochez sur votre liste les vêtements nommés. Ecoutez encore une fois et ajoutez les vêtements qui ne sont pas sur votre liste. (AT1/3–4)
French teenagers do the same task aloud and pupils are asked to tick the words they have in their lists as they hear them, then listen again and add the words that they did not have.

- Bon, les vêtements:
- Un pantalon, une chemise ...
- Un chemisier, une jupe, un sweat ...
- Un tee-shirt, un polo ...
- Un pull, un tricot ...
- Un gilet, un short, un maillot de bain ...
- Une veste, un manteau, un chapeau ...
- Un anorak, un imperméable ...
- Un parapluie ... Non, ce n'est pas un vêtement! Des bottes de caoutchouc?
- Non, ce n'est pas un vêtement. Des chaussettes ...
- Une salopette ... Je me demande ce que j'ai dans l'armoire ...
- Un bikini? Une chemise de nuit? Un soutien-gorge? Des culottes?
- Et toi? Tu as des slips? Ou est-ce que tu portes les caleçons de ton grand-père?
- Oh, là, là, les filles! Elles sont insupportables!

3 a A deux: Révisez les couleurs et les descriptions. (AT3/1–2)
Pupils work out which word applies to each colour and pattern.

Answers:
Colours: 1 jaune, 2 blanc, 3 beige, 4 marron, 5 turquoise, 6 marine, 7 parme, 8 violet, 9 vert pâle, 10 gris foncé, 11 abricot, 12 noir, 13 bleu foncé, 14 corail, 15 écru, 16 rose vif
Descriptions: 1 à rayures, 2 à pois, 3 multicolore, 4 uni, 5 imprimé, 6 en laine, 7 en coton, 8 en polyester/acrylique, 9 en jersey

 Optional vocabulary work: Working together in a group, pupils make a vocabulary (or crib) sheet using IT. First they decide together what they want on the sheet, e.g. a complete list of the words with definite or indefinite article and useful phrases, all the forms of useful adjectives and useful verbs. Each member of the group researches and writes a different part of the sheet. They then make a crib sheet for the group using IT.

 Support worksheet 19 gives further revision of colours and adjectival agreement. (AT3/3, AT4/3–4)

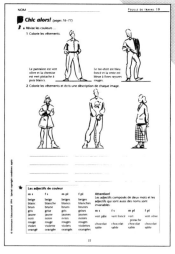

b Qu'est-ce que tu portes en ce moment? (AT2/3–4, AT4/3–4)
Pupils use the words and phrases to prepare a more detailed description (oral and written) of what they are wearing.

You could play *Trouve quelqu'un qui ...:* each pupil writes descriptions of any five items of clothing and goes round the class to find someone who has the item described. They write up a 'report' on their mini-survey.

 At this point you could use the worksheets **Au choix 60 (Lire A** Reinforcement) and **61 (Lire A Extension); see page 95 below.**

Chez toi (AT4/3–5)
For homework pupils prepare a detailed report on what they wear for school and/or say what clothes make them feel good. Pupils are asked to read the featured statement and say whether they agree with it or not. Some of them might like to design and label an outfit in which they would feel good.

② *Les chaussures* (Pupil's Book pages 78–79)

Main topics and functions

- Talking about footwear
- Shopping dialogues (revision and extension)

Other aims

- Expressing opinions

Structures

- Adjectival agreement
- Plural forms
  Elles sont trop petites/étroites
  Ils sont trop petits/étroits

Vocabulary

les bottes de caoutchouc
les chaussures

les chaussures de fitness
les chaussures de foot
les chaussures de jogging
les mocassins
les sabots
les sandales
les tennis

cher/chère
étroit(e)
grand(e)
large
petit(e)

une paire
la pointure

---

1 a Ecoute: Combien ça coûte? (1–8) (AT1/3–4)
Listening to find out how much the different shoes cost. (This gives pupils the names of the different types of shoes at the same time, so they can then talk about them themselves.)

Answers: A 139F, B 129F, C 119F, D 159F, E & F 310F, G 150F, H & I 249F & 299F, J 299F, K & L 245F, M 199F.

1 – Les mocassins bleus coûtent 139F.
 – Et les blancs?
 – 129F.
 – 139F et 129F.
2 – Et les chaussures de foot?
 – 249F et 299F.
 – Donc ça fait 249F et 299F.
3 – Et les sandales blanches coûtent 119F.
 – Et les sandales rouges?
 – Elles sont plus chères, 159F.
 – Donc 119F et 159F.
4 – Les tennis?
 – Les deux paires de tennis, 310F.
 – Elles sont chères.
 – Oui, mais elles sont bien.
 – Alors, nous disions 310F.
5 – Et les fitness?
 – 150F.
 – Donc 150F.
6 – Et les baskets?
 – Baskets blanches ou noires, 245F.
 – Alors, 245F.
7 – Qu'est-ce qu'il y a d'autre?
 – Les chaussures de jogging. Elles sont à 299F.
 – 299F.
8 – Et les sabots, à 199F.
 – 199F.
 – Qu'est-ce que tu préfères?
 – Les sabots. Et toi?
 – Les baskets blanches.

b Ecoute: Qu'est-ce qu'ils vont acheter? (AT1/5)
Pupils listen to find out what the speakers are likely to buy.

Answers: 1 chaussures de jogging (J),
2 chaussures de foot noires/blanches (H),
3 sandales rouges (D), 4 fitness (G)

1 – Bon. Je vais dans le magasin. Tu viens avec moi ou tu m'attends dehors?
 – Qu'est-ce que tu achètes?
 – J'ai besoin d'une paire de chaussures de jogging.
 – Il n'y en a pas.
 – Si, il y en a. Regarde, là.
 – Ah oui. Bah, je t'attends ici.
2 – Comment trouves-tu les chaussures de foot?
 – Lesquelles?
 – Les noires et blanches.
 – Pas mal. Elles sont un peu chères.
 – Oui, mais j'en ai besoin.
 – Tu as de l'argent?
 – Oui. J'en ai assez. On va les acheter?
 – Oui, pourquoi pas?
3 – Regarde les mocassins bleus. Ils ne sont vraiment pas chers.
 – Mais pas les bleus!
 – Les blancs?
 – Ils sont mieux, mais pas pour toi!
 – Pourquoi?
 – Ils sont trop classiques.
 – Qu'est-ce que tu préfères alors?
 – Les sandales sont mieux.
 – Lesquelles?
 – Les blanches.
 – Tu plaisantes! Elles sont plutôt pour ma mère. Je vais acheter des sandales rouges.
 – Elles sont trop chères.
 – C'est moi qui paie et elles me plaisent.
 – Oui ... si tu veux.

4 – Je voudrais une paire de tennis.
  – Quelle pointure?
  – Je ne suis pas sûre ... environ 39.
  – Mhm. Et quelle couleur?
  – Blanc.
  – Euh ...Ceux-ci?
  – Non. Je n'aime pas le jaune.
  – Je les ai en blanc et bleu.
  – Je peux les essayer?
  – Oui, bien sûr.
  – Non. Ils sont trop étroits. Les avez-vous en plus grand?
  – Ah, non. Nous ne les avons pas dans votre pointure.
  – Et les fitness?
  – Ça, oui. Oui, oui. Les voilà.
  – Ils sont très confortables. Bon. Je les prends.
  – Voilà. Merci.
  – Au revoir, madame.

c A deux: Discutez avec un(e) partenaire. (AT2/3–5)
Pupils discuss the shoes with their partners and say which they like or dislike.

2 A deux: Qu'est-ce qui ne va pas? (AT2/3–4)
Pupils use the words in the grid to help them. They are all 'shoes', so they can all be feminine, but some pupils should be able to use the masculine form for the clogs.

Answers: A Elles sont trop grandes/larges, B Elles sont trop petites, C Elles/Ils sont trop grand(e)s, D Elles sont trop chères, E Elles sont trop étroites.

3 A deux: Jeu de rôles (AT2/4–5)
Role play: pupils act out buying shoes using the mapped dialogue.

Some pupils should be able to go on to improvise dialogues.

4 Jouez en groupe. (AT2/4–5)
Pupils choose a pair of shoes for themselves and write down which pair they have chosen. They then write down the names of 4 or 5 people in the class and guess which pair of shoes they have chosen. Next they go and ask these people which shoes they have chosen, to see if they were right.

Remind pupils that if they are going to ask the teacher or another adult a question they should use the *vous* form.

Chez toi (AT4/3–4)
Homework is guided writing or recording: pupils say

a what they are 'wearing'

b what they are 'doing'.

❸ *Le prix de votre look* (*Pupil's Book pages 80–81*)

Main topics and functions

- Talking about clothes
- Giving opinions

Other aims

- Extended speaking
- Working with authentic materials

Structures

- Direct object pronouns
  il/elle me plaît
  il/elle ne me plaît pas
  je le/la/les trouve ...

Vocabulary

un bombers
une casquette
 un chapeau
un gilet
un goût
un jean Levi's
le marché aux puces
un sac à dos
un tee-shirt Naf-Naf

les années 30
cultiver son look
son époque
le style
le/la styliste

---

1 a Ecoute: Ça coûte combien? (AT1/5)
Pupils listen to find out how much the items cost, note the prices and compare their answers afterwards to find out if they all agree on what has been said.

- Les chaussures Nike Air coûtent 800F.
- Le bombers coûte 550F et la casquette 100F.
- Le sac à dos coûte 200F.
- Le prix du jean c'est 350F.
- Et le tee-shirt Naf-Naf 140F.
- C'est tout?
- Oui, pour lui. C'est combien en tout?
- Attends, 800 plus 550: 1350, plus 100: ça fait 1450, et le sac à dos?
- 200. Ça fait: 1450 ... euh, 1650 ... et le jean, 350 ... euh 2000.
- Et le tee-shirt?
- 140: 2140F. Aïe! C'est cher!
- Qu'est-ce qu'elle porte?
- Bon, le pantalon, c'est à sa mère, ça ne coûte rien, le gilet 440F ...
- Le tee-shirt 100F, et les sandales vertes 429F.
- Elles coûtent chères!
- Les lunettes coûtent chères aussi: 199F.
- Ça ce n'est pas cher pour des lunettes.
- Le chapeau?
- Le prix du chapeau n'est pas marqué. On dirait que ça vient du marché aux puces.
- Uhm. Bien, en tout ça fait 440 plus 100: 540 ...
- Plus 429F ... euh ... 900 ... 69 ...
- 969 plus les lunettes 199, disons 200, ça fait 1169 moins 1F ...
- 1168F. Qu'est-ce que tu en penses? C'est cher?
- Oui, je trouve ça très cher. Je n'aime pas le pantalon ni le gilet ... je pourrais m'en passer! Tu t'habilles beaucoup mieux que ça et beaucoup moins cher.
- Merci pour le compliment!

b A deux: Qu'est-ce qu'ils portent? Qu'est-ce que vous en pensez? (AT2/4–5)
Working in pairs, pupils go through the items of clothing and say what they think of each.

2 a C'est lui ou elle? (AT3/4–5)
They read the texts and decide whether they are written by the girl or the boy.

Answers: A elle, B lui

3 a C'est plus important pour toi de 'cultiver ton look à toi' ou de 'faire comme tout le monde'?
b A deux: Discutez avec un(e) partenaire. C'est quoi, ton look à toi?
Pupils say what sort of person they think they are and see if their partner agrees. **(AT2/4–6)**

4 Pupils draw and describe an outfit. **(AT4/4–6)**

> At this point you could use the worksheets **Au choix 56 (Ecouter A** Reinforcement) and **57 (Ecouter A** Extension) and **Au choix 58 (Parler A** Reinforcement) and **59 (Parler A** Extension); see below.

Word patterns 4 may be used at this point when talking about one's own and other people's things (see page 70).

Mini-test 7 (AT2/4–6)

The sheet **Mini-tests 7 & 8** has models of the language needed for this test.

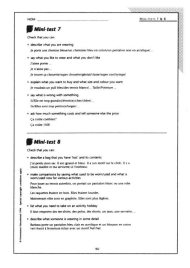

Reinforcement and extension worksheets

Au choix 56 (Ecouter A)
1 Matching descriptions of shoes to pictures and recognising the price. **(AT1/4)**
2 Pupils give their own preference. **(AT4/3–4)**

Les chaussures
1 a Quelles chaussures préfèrent-ils?
  b Elles coûtent combien?
1 – J'ai besoin de mocassins. Lesquels préfères-tu, les marron clair ou les marron foncé?
  – Je préfère les marron foncé avec frange. Ils coûtent combien?
  – Les mocassins foncés coûtent 235F et les clairs 145F.
  – 235F et les clairs 145F.
2 – Regarde les sandales. Lesquelles préfères-tu?
  – Elles coûtent combien?
  – Celles à fleurs 155F, et les blanches 99F.
  – 155F et 99F. Je préfère celles à fleurs.
3 – J'ai besoin d'une paire de baskets. Lesquelles préfères-tu?
  – Elles coûtent combien?
  – 175F unies et 195F bicolores.
  – 175F et 195F. Je préfère les baskets bicolores.
4 – Je voudrais des bottes.
  – Lesquelles préfères-tu?
  – Elles coûtent combien?
  – Les plus petites 185F et les plus grandes 365F.
  – 185F et 365F. Moi, je préfère les plus petites.
5 – J'ai besoin d'un cadeau pour mon grand-père.
  – Tu pourrais lui acheter des pantoufles.
  – Bonne idée. Elles coûtent combien?
  – 95F et 165F.
  – 95F et 165F. Je n'ai que cent francs.
  – Alors c'est facile!
6 – Mes tennis sont abîmés.
  – Regarde, il y en a à 98F et à 149F.
  – 98F et 149F. Quelle différence y a-t-il?
  – Ceux avec les semelles plus épaisses sont plus chers.
  – Oh, tant pis. Je les préfère.

Au choix 57 (Ecouter A) (AT1/6)
Clothes: Noting down prices and recognising which picture corresponds to the French teenagers' choice.

1 a Combien ça coûte?
  b Qu'est-ce qu'ils préfèrent?
1 – Bon, le polo en 100% coton piqué, col tricot, avec petites manches, coûte 145F. On peut l'avoir en blanc, vert, violet ou jaune.
  Le polo en 100% coton piqué, col tricot, sans manches, coûte 125F. Les couleurs sont blanc, rose, jaune, bleu clair.
  – J'ai toujours eu des polos blancs ... il faut changer. Je voudrais celui sans manches en bleu vif!
  – Il n'y en a pas; il n'existe qu'en bleu clair ... mais il y a ce tee-shirt court en jersey lourd 100% coton peigné. Mancherons et col rond, en blanc, jaune, bleu vif et violet.
  – Il coûte combien?
  – 129F.
  – 129F. Non, il est trop lourd. Je préfère celui sans manches, c'est moins lourd.
2 – Je vais m'acheter un short. Regarde, short en 100% coton, deux poches italiennes, fermeture éclair, ceinture élastiquée dos:

  139F.
  – Quelles couleurs?
  – Blanc, violet et vert pâle.
  – Beurk!
  – OK. Bon. Short bicolore en 100% polyester texturé ... je n'aime pas ça ... avec taille élastiquée, rayé, deux poches italiennes, fermeture éclair.
  – Il coûte combien?
  – 149F.
  – Et les couleurs?
  – Blanc, bleu pâle et marine.
  – Les couleurs sont mieux.
  – Oui. Il y a aussi celui-ci: short 100% coton ... je préfère le coton ... ceinture plate, élastiquée dos, fermeture à glissière ... ça veut dire éclair? ... revers aux jambes.
  – Il coûte combien?
  – 169F.
  – Je n'aime pas le revers aux jambes.
  – Mais c'est à la mode.
  – Quelles couleurs?
  – Blanc ou naturel.
  – Je préfère le naturel.

Au choix 58 (Parler A) (AT2/3)
Information gap exercise on clothes and prices.

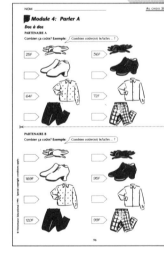

Au choix 59 (Parler A) (AT2/5)
Information gap exercise: pupils describe clothes for their partner to draw.

Au choix 60 (Lire A)
1 Matching descriptions to drawings of clothes. (AT3/4)
2 Colours: pupils colour in pictures of tennis shoes. (AT3/2)

Au choix 61 (Lire A)
1 Matching descriptions to drawings of clothes. (AT3/4–5)
2 Pupils write their own description. (AT4/4–5)

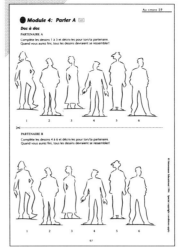
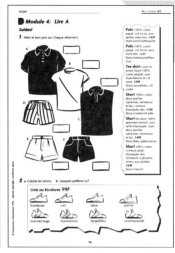

Récréation *(Pupil's Book pages 82–83)* **(AT3/5–6)**

These are items from French teenage magazines which provide models for pupils wanting to write similar material for their own magazines or newspapers. There are star profiles to read and enjoy and a short item on body language for them to discuss and add to.

4 J'ai perdu mon sac (Pupil's Book pages 84–85)

Main topics and functions

- Saying what you have lost

Other aims

- Describing things
- Developing awareness of language

Structures

- Third person singular and plural:
  il/elle a/est ...
  ils/elles ont/sont ...
- Adjectival agreement
j'ai perdu ...

Vocabulary

mes affaires de sport/de natation
une étiquette
une fermeture éclair
mes gants
un motif
une poignée
mon sac
ma valise

à l'intérieur
dessus

*le bureau des objets trouvés
*le panier
*tricoter
*le vestiaire

---

1 a C'est quel sac? (AT3/5)

Pupils look at the bags, read the texts and decide which bags they refer to.

Answers: B and J

b Ecoute: Qu'est-ce qu'ils ont perdu? (1–6) (AT1/5)

Now they listen to find out which items the speakers have lost.

Answers: 1H, 2A, 3I, 4D, 5E, 6C

1 – J'ai perdu mes gants. Ils sont noirs, en laine. Ma grand-mère les a tricotés pour moi.
– Je ne les ai pas vus.
2 – Merde. Où est mon sac? Je dois réviser pour demain. On va avoir un contrôle en maths.
– Le voilà.
– Non, c'est pas le mien. Le mien n'est pas bleu. Il est plutôt rouge foncé.
3 – Je ne sais pas ce qui s'est passé. Je l'avais mis dans mon panier sur mon vélo devant le supermarché, et puis voilà: le panier est vide ... le sac n'est plus là. Qu'est-ce que je fais?
4 – J'ai laissé mon sac avec mes affaires de sport dans le vestiaire et il n'est plus là.
– Il est comment?
– Euh ... C'est un sac 'Head', bleu, assez grand.
5 – Euh, excusez-moi. Est-ce que quelqu'un vous a rapporté une valise?
– Quand est-ce que vous l'avez perdue?
– Il y a dix minutes.
– Quelle couleur est-elle?
– Marron.
6 – J'ai perdu mon sac. Je voudrais savoir si quelqu'un l'a trouvé.
– Qu'est-ce qu'il y avait à l'intérieur?
– Un short blanc, une chemise blanche, mes tennis, une serviette et mon shampooing.
– De quelle couleur est ton sac?
– Il est vert.

They can listen and match up the objects and colours using **Support worksheet 20.**

Answers: 1 gants noirs, 2 sac rouge foncé, 3 sac blanc, 4 sac bleu, 5 valise marron, 6 sac vert

c A deux: A tour de rôle, choisissez un article et décrivez-le. Le/La partenaire doit deviner lequel c'est. (AT2/4–5)

Pupils describe one of the items so that their partner can guess what it is.

Play Kim's game. Shut the book and ask pupils to describe all the items that have been lost.

Teacher or pupils take an item from some members of the class, who then have to describe the item to get it back.

2 a Au téléphone: Qu'est-ce qu'ils ont perdu? Ecoute et note: 1 le nom; 2 l'adresse; 3 l'objet perdu. (AT1/5)

People ringing in about lost items. Pupils listen and make notes.

There is a grid to help them on **Support worksheet 20** (see above).

Answers: 1 bicyclette, Houssay, 2 chat, Boidana, 3 montre, Millerioux, 4 carte bancaire, Giffard, 5 Gameboy, Bouvard

1 Est-ce que quelqu'un a rapporté une bicyclette?
... Oui, cet après-midi ... Non, un Peugeot, rouge
... Houssay, H O U S S A Y, 96 rue Verte ... Merci,
au revoir.

2 Le chat? Tigré, il s'appelle ... euh ... Rambo ...
trois ans ... Oui, Boidana, B O I D A N A. Le vieux
Moulin, rue Bonnet ... B O N N E T, oui ... Non,
dans le village de Mornay, M O R N A Y ... Oui,
c'est ça. Merci, au revoir.

3 J'ai perdu ma montre. Je l'avais dans ma poche
quand j'étais dans le bus. J'ai pensé que peut-
être elle était tombée de ma poche ... Non? ...
Oui, Millerioux ... M I L L E R I O U X ... Oui, 38,
rue de Champigny, C H A M P I G N Y. ... Oui,
merci, au revoir.

4 Ma carte bancaire ... Je voudrais faire opposition
... Giffard, Michel Giffard, G I F F A R D ...
L'adresse? 72, rue Bizet ... oui, B I Z E T, 72 ... et
le numéro de la carte? ... Non, je ne l'ai pas noté.
... Merci. Au revoir.

5 Je voulais savoir si quelqu'un a rapporté un
Gameboy ... Cet après-midi ... Demain? Oui,
Philippe Bouvard, B O U V A R D, 56 rue Diderot,
D I D E R O T ... Merci, au revoir.

b **A deux: Au bureau des objets trouvés.
Qu'est-ce que vous avez perdu? (AT2/5)**
A mapped dialogue for role play practice.

Word patterns 4 (*Mon, ma, mes? Son, sa, ses?*) is
also appropriate at this point (see pages 70 and
93).

**3 A deux: Vous avez trouvé un sac. Qu'est-ce
qu'il y a dedans? Faites une liste. Ça
appartient à quelle sorte de personne?
(AT4/3–5)**
Pupils should look at the contents of the bag and
say what they can deduce about its owner, e.g.
*Il/Elle fait du vélo/est fana du cyclisme, a un cours de
maths aujourd'hui, habite assez loin du collège et y va
en bus*, etc.

Empty a bag or make a collection of items from a
real or imaginary pupil's bag to see what pupils
can say about the bag's owner. They can list the
items and make up one sentence about each.

Pupils should give reasons for their deductions,
e.g. *C'est quelqu'un qui aime faire du vélo, parce que
il y a un magazine sur le cyclisme dans le sac.*

At this point you could use the worksheets **Au
choix 62** (**Ecouter B** Reinforcement) and **63**
(**Ecouter B** Extension) and **Au choix 64** (**Parler
B** Reinforcement); see pages 101–102 below.

Chez toi (AT4/4–5)
Pupils write a description of their own bag and list
its contents.

Hier et aujourd'hui (Pupil's Book pages 86–87)

Main topics and functions

• Talking about the present and the past

Other aims

• Making comparisons

Structures

• Adjectival agreement (revision)
• Present vs. imperfect:
  on porte .../on portait ...
  ils/elles sont ...ils/elles étaient ...
plus
moins

Vocabulary

aérodynamique
court
leger/ère
long(ue)
lourd(e)

maintenant
meilleur(e)

une raquette
des skis
la tenue

*des allumettes
*une cagoule
*un canif
*une casserole
*une colo (colonie de vacances)
*une lampe de poche
*des lunettes de soleil/de ski
*un mono (moniteur)
*un ouvre-boîte
*des palmes
*une pile
*un réchaud
*un sac de couchage

selon nous

---

1 a A deux: Trouvez les différences! (AT2/6)
Using the models given, pupils are asked to explain the differences between certain sports as they were played in the 20s and 30s and as they are today. This aims to get pupils used to using certain forms of the imperfect tense while concentrating on the giving of information.

 Support worksheet 21 has gapped texts to help pupils formulate their answers, plus two picture puzzles (practising *plus/moins/aussi ... que*).

Answers (puzzles):
chapeau: 2,
trait: 3

b Quelle est la meilleure tenue, A ou B? Pourquoi? (AT2/6–7)
Pupils have to say which is the better outfit, using the word *meilleur(e)*, and work out together what reason they can give.

2 Ecoute: On va au camp de loisirs. (AT1/5–6)
a Qu'est-ce qu'on va faire?
b Qu'est-ce qu'ils emportent?
Pupils listen to find out what the French teenagers are going to be doing and what they

need to take. Most French children attend a holiday camp at some time during their school career and they are often mentioned in conversation, in school stories and in cartoons. The *colonie de vacances* is often referred to as *colo* and *moniteurs* as *monos*, so pupils should be able to recognise the expressions.

1 – Qu'est-ce qu'on va emporter?
  – Tu n'as plus ta liste?
  – Non. Je l'ai perdue.
  – Alors, moi, j'ai des tee-shirts, deux shorts, un jean, deux sweats, un pyjama, des chaussettes, mes baskets, mon sac de toilette, mon walkman, des BD, mon maillot de bain et mes palmes. C'est tout.
  – Est-ce qu'il faut prendre des serviettes?
  – Ah oui, c'est vrai, et une grande serviette pour la plage.
2 – Est-ce que tu peux me prêter des lunettes de soleil?
  – Pourquoi? Où vas-tu?
  – Dans les Alpes.
  – Tu as de la chance, toi! Tu as plutôt besoin de lunettes de ski. Les miennes ne sont pas assez fortes.
  – Ça ira! J'ai pas tellement envie d'y aller.
  – Pourquoi?
  – J'aurais préféré aller au bord de la mer.
  – Ça va être super. As-tu tout ce qu'il te faut?
  – Non. Je n'ai pas de sac à dos ni de cagoule.
  – Tu peux prendre les miens.
3 – Je n'ai plus de place dans mon sac à dos.
  – Oui, mais tout de même, il faut que tu emportes les choses pour la cuisine. Je n'ai plus de place avec la tente. Regarde la liste: pour le camping sauvage, chaque groupe doit emporter sa propre tente et réchaud Butagaz ...

– Bon, j'ai mes vêtements, qu'est-ce que il me faut en plus?
– Tu as ton sac de couchage?
– Oui.
– Mmm ... Une serviette?
– Oui.
– Alors, pour la cuisine, une casserole, un ouvre-boîte, un réchaud Butagaz, des allumettes, deux assiettes, deux bols et deux tasses.
– C'est tout?
– Non, deux fourchettes, deux cuillères et deux couteaux, et ... uhm ... as-tu un canif et une lampe de poche?
– J'ai un canif suisse, mais je n'ai pas de lampe de poche.
– Bon, alors, euh ... il faut en acheter une.
– ... et des piles.
– Ah oui, bien sûr, et des piles.
4 – On va en colo la semaine prochaine.
– Mes pauvres! je vous plains!
– C'est pas rigolo, ça, tu sais!
– Vous allez vous lever de bonne heure, faire des grandes randonnées, camper, faire du kayak ...
– ... flirter avec les monos ...
– Ça pourrait être pire.
– Tu pourras me prêter un short cycliste?
– Pourquoi?
– On va faire du VTT.
– C'est pas vrai! Toi, sur une bicyclette! Je voudrais bien voir ça! ... Qu'est-ce qu'il te faut en plus?
– Deux shorts, des tee-shirts, deux maillots de bain ... Je vais prendre mon bikini aussi, deux jeans, des pulls, un anorak, des chaussettes, des tennis ...

c Qu'est-ce qu'on va emporter? (AT3/2)
This exercise is on **Support worksheet 22**.
Pupils match camping vocabulary to pictures.

Answers: 1 lampe de poche,
2 canif, 3 tasse,
4 fourchette,
5 allumettes,
6 sac à dos,
7 cuiller, 8 piles,
9 assiettes,
10 réchaud Butagaz,
11 trousse de toilette,
12 ouvre-boîte,
13 palmes,
14 casserole,
15 couteau,
16 sac de couchage

3 On fait la lessive. Qu'est-ce qu'ils ont fait? (AT2/5, AT4/5)
A quick revision of the perfect tense, deducing what activities the people have been involved in by looking at their piles of washing.

Answers: Elle a été au collège, elle a fait de la natation et de l'équitation. Il a fait du vélo/du cyclisme, il a fait du judo, il est sorti avec ses copains.

By now some pupils should be able to understand and make an effort to learn the different forms of the most common verbs in the main tenses.
Verbs 6 *(Tableau de conjugaison)* may be used as reference and to help them learn. **Verbs 7, 8** and **9** give the conjugation of the auxiliary verbs *être, avoir* and *aller*, and may be used at any time.

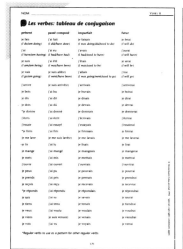

Chez toi (AT4/5–7)
Pupils choose two activities of their own and list the differences between 'now' and 'then', using the models from exercise 1.

6 Un défilé de mode (Pupil's Book pages 88–89)

Main topics and functions

- Producing a fashion show

Other aims

- Carrying out a creative activity in a group

Structures

en coton/cuir

Vocabulary

*all vocabulary receptive only

un bouton
le coton (peigné)
la crêpe (de soie)
le cuir
le denim
une fermeture éclair
le jersey (de coton)
la laine
le lin
le polyester
la serge (délavée)

la soie (nature/naturelle)
le viscose

un bermuda
des bottes à semelles compensées
un caleçon
une ceinture
un col tailleur
un costume
une cravate
une robe de soirée
un tailleur
une tunique
une veste

boutonné(e)
décolleté(e)
deux pièces
imprimé(e)
jacquard
jaune bouton-d'or
sans manches
à poches italiennes

This unit is designed as a group activity to encourage co-operative working. If the constraints of the timetable make this impossible, it can be treated as individual or pairwork, with partners designing an outfit and writing and recording a commentary to go with their own or their partner's outfits.

It is hoped that most classes will be able to stage (and record) a fashion show, either as a class activity in teams or in groups, or as an inter-class activity to see which class does the best show. An alternative would be for them to make large drawings or collages of outfits to display. Each group could prepare a commentary on its own display.

It is important to see that everybody is involved by taking part either in the 'show' itself (designing and describing the outfits) or in the preparations (designing the publicity for the show or the programmes etc.).

1 Ecoute: Qu'est-ce qu'ils portent? C'est quelle image? (AT1/6–7)

Pupils should look up the words they don't know to identify the swatches of material. Then let pupils listen carefully to the descriptions of the outfits.

They match the descriptions to the pictures.

They see what expressions they can pick up to use in their own commentaries.

1 Voici Alain qui passe devant vous en tee-shirt à manches courtes en jersey blanc. Le bermuda a

des poches italiennes en serge délavée marine 100% coton, avec fermeture éclair. La ceinture et les chaussures sont en cuir marron.

2 Louise défile devant vous en tunique longue sans manches, décolletée et boutonnée devant, en viscose violet. Son caleçon long est en jersey, fond bleu vif, imprimé blanc et jaune bouton-d'or. Elle marche avec des bottes à semelles compensées.

3 Gilles porte un costume deux pièces. Veste: col tailleur, boutonnée devant. Pantalon à poches italiennes, en polyester-coton gris antracite. Sa chemise très élégante est en 100% coton peigné rose. La cravate en soie naturelle, imprimée noir et blanc.

4 Enfin, Céline, ravissante dans sa robe de soirée, décolletée devant et dans le dos, sans manches, en crêpe de soie noire.

2 On fait un défilé de mode

a Préparations pour la classe

First the class is divided into groups.

b Préparations pour chaque groupe (AT4/4–5)

Within each group, pupils have to allot the tasks and record what they are doing. Pupils who opt to choose the music, for example, because they think it is an easy option, must make a list of possible music and then report back to their group explaining why they have chosen it.

The group should keep a record of all the activities undertaken by the individual members so that their contribution to the group activity can be assessed.

c A deux: Choisissez vos tenues pour le défilé.
(AT2/4–5, AT4/4–5)

Drawings or collages of the outfits will suffice if it is not possible to make or borrow anything. Each pupil should record a commentary on tape.

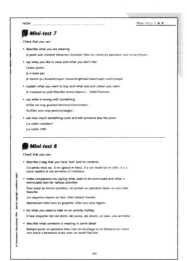

Mini-test 8
(AT2/4–6)

The sheet **Mini-tests 7 & 8** has models of the language needed for this test.

Reinforcement and assessment worksheets

Au choix 62 (Ecouter B)
1 & 2 Pupils match descriptions of people to drawings, then prepare their own description.
(AT1/3–4, AT4/3–4)
3 A similar exercise, this time on bags. (AT1/4)

1 Qui est-ce?
1 Je m'appelle Igor. Je porte un jean et un sweat avec un motif Naf-Naf, une casquette et des baskets.
2 Mon nom est Lucile. Je porte un jean bleu et une veste en denim bleu, un tee-shirt rouge et des baskets rouges.
3 Je m'appelle Solène. Actuellement, je porte un short blanc, parce que je vais jouer au tennis, un polo bleu clair et des tennis.
4 Mon nom est Natacha. Je porte un polo rose, une jupe grise, des soquettes blanches et des tennis également blancs.
5 Je m'appelle Ludovic. Je vais au resto avec mes parents ... alors je porte un pantalon gris, une chemise grise et un pull-over bleu-marine. Normalement, je porte un jean!
6 Mon nom est Florient. Mon polo est noir, mon short est rouge, mes chaussettes sont rouges et noires et mes chaussures sont noires.

3 C'est le sac de qui?
[Prof] Eh! Il ne faut pas laisser les sacs ici! C'est à toi, Florient, le sac Naf-Naf?
[Florient] Non, il est à Igor. C'est lui le look Naf-Naf.
[Prof] Et l'autre sac à dos?
[Lucile] Il est à Natacha. Le sac avec la raquette de tennis est à Solène.

[Florient] Le mien est le grand sac noir. Le cartable rouge est à Lucile et le dernier, le cartable noir, est le sac de Ludo.

Au choix 63 (Ecouter B) (AT1/5–6)
Listening to descriptions of lost property and noting down details.

1 a Remplis les fiches.
b Est-ce qu'on l'a retrouvé?
1 Oh, là, là, là, là! Mon pauvre petit chien. Je l'ai perdu! Que faire? Mais pour les chiens, c'est pas vous? Oh, là, là, là, là! Mais qu'est-ce qu'il me faut faire? Voilà, j'étais en ville et ... et j'ai rencontré Mme Hibert et nous avons parlé quelques minutes ... et puis, et puis mon chien, mon chien n'était plus là. J'ai cherché partout ... partout ... et puis, et puis j'ai perdu mon sac à main, en cherchant le chien. Je suis vraiment distraite! ... Le sac à main? Oui, euh, en cuir, pas grand, pas grand ... mon porte-monnaie, euh ... mes clés, euh ... mes cartes bancaires ... oh, là, là, là, là, là, là, mais comment je vais faire, mais ...? ... Mon nom? Mme Sorbet. Sorbet, oui, c'est ça: S o r b e t, 16 chaussée d'Antin ... 161, chaussée d'Antin: chaussée: C h a u s s é e, d apostrophe, A n t i n ... oui, c'est ça, c'est ça, t i n. ... Téléphone? 42 98 65 32 ... 42 98 65 32 ... Voilà, c'est ça, oui. Merci beaucoup. Au revoir. Au revoir, monsieur.
2 J'ai perdu ... et ma mère ... C'était pour mon anniversaire ... la s'maine dernière ... Elle va me tuer!.... Oui, oui, ben, je m'appelle, euh Christophe ... Oui, Christophe Duvalier, D (mmm) u v a l i e r ... Oh, là, là, là, là! Bleu, oui ... oh, à peu près grand comme ça, mm, et la selle ... oui, la selle est noire, hein ... un P'geot... oui, oui ... 43, rue Verte ... 43 ... oh, là, là, là, là! Oui, et n'avons pas de té'phone ...
3 Je m'appelle Monsieur Diderot, Diderot: D i d e r o t ... rue Blanche, numéro 3 ... Mmm ... 53 71 26 48 ... 53 71 26 48 .... Mes gants? Mmm ... en cuir, mmm ... cadeau de ma femme, mmm ... marron ... Uh, dans le bus ... Ma voiture est en panne. ... Ah non, non, non, je ne suis pas habitué à prendre le bus. C'est idiot, idiot!

Au choix 64 (Parler B) (AT2/4–5)
Lost property: a mapped dialogue to practise.

Au choix 65 (Parler B) (AT2/5–6)
Pupils colour in outfits and prepare a fashion
show commentary.

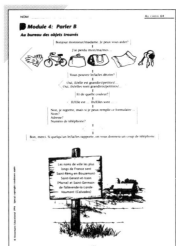

Au choix 66 (Lire B)
1 & 2 School uniform: revision of clothing
vocabulary and agreement of colour adjectives.
(AT3/1–2)
3 Pupils prepare their own description of what
they wear. **(AT4/4–5)**

Au choix 67 (Lire B)
1 & 2 School uniform: similar to **Au choix 66** but
with less support. **(AT4/2, 3–4)**
3 & 4 Opinions on school uniform: pupils
recognise the opinions expressed and give their
own. **(AT3/5, AT4/4–5)**

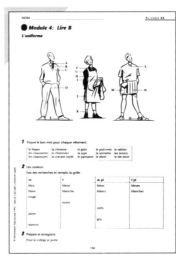
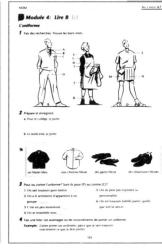

● *Récréation* *(Pupil's Book pages 90–91)* **(AT3/3)**

C'est quelle fête?
This presents the national holidays in France. The
tasks are to work out which holiday is represented
by each picture and then match the holidays to
the dates. As the dates of some holidays change
each year, there is an opportunity to discuss them
and ask pupils to give their opinion.

Answers:
la Fête du Travail (photo 5): 1er mai
la Fête Nationale (photo 2): 14 juillet
le jeudi de l'Ascension: 20 mai
l'anniversaire de l'Armistice de 1918: 11
novembre
l'anniversaire de la fin de la 2me Guerre Mondiale
(photo 6): 8 mai
le Jour de l'An: 1er janvier
le jour de Noël (photo 1): 25 décembre
le lundi de Pâques (photo 3): 12 avril
l'Assomption: 15 août
le lundi de Pentecôte: 31 mai
la Toussaint (photo 4): 1er novembre

Les jours de fête autour du monde
A similar exercise: pupils work out or recognise
which festival is represented by each picture. The
aim is to remind them of the existence of other
cultures and provide an opportunity to discuss
them. Pupils from other countries might like to
make and label a display or give a short talk about
their own or other people's national festivals.

Answers: 1 Fasching en Allemagne, 2 Nouvel-An à
Hong-Kong, 3 Carnaval de Rio, 4 Noël en
Australie, 5 Thanksgiving aux Etats-Unis

Chers lecteurs! *(Pupil's Book pages 92–93)*

Main topics and functions

- Talking about personal problems
- Giving advice

Other aims

- Extended reading
- Letter writing

Structures

j'en ai marre de ...
ça m'énerve quand .../mes parents m'énervent
Qu'en pensez-vous?
Qu'est-ce que je peux faire?
il faut + infinitive
*libre à eux de
ça ne marche pas
se sentir bien dans sa peau
ça ne sert à rien

Vocabulary

des boutons
du chewing-gum
les choses sucrées

*les conséquences
*la consommation
*le courage
*un dermatologue
drôle
la forme
gentil(le)
gros(se)
des marques
*les matières grasses
la moyenne
l'odeur
une petite copine/un
  petit copain
le physique
le poids
la taille
tout le monde

agir
j'ai un problème
aidez-moi!
arrêter de
s'arrêter

boire du lait chaud
bouge-toi!
désespérer
faire un régime
*se faire des émules
frotter
fumer
*s'intoxiquer
lire un roman
manger beaucoup de fruits
  et de légumes
masquer
je mesure (mesurer)
se moquer de
oser
perdre
je pèse (peser)
prendre un bain
se préoccuper
réduire
je sens (sentir)
*sucer des bonbons

---

1 a Tu travailles pour la revue 'Bonne Vie'. Lis les lettres suivantes et choisis la bonne réponse à chacune. (AT3/5–6)
Pupils read the letters (A–E) and find the appropriate reply (1–5) for each.

Answers: A2, B4, C3, D1, E5

b Ecoute: Qui parle? (AT1/5–6)
Now they listen to the same people speaking and work out who they are.

Answers: 1 Sandra, 2 Marc, 3 Aline, 4 Jacques, 5 Jeanne

1 T'as une clope? Je suis en manque. ... Non. Je n'en ai pas en ce moment. Je vais en acheter. On va au bar tout de suite après le collège.
2 Moi, j'aime Elvire .... Ah non, elle est sympa. Je la trouve belle, mais ... non, non ... je n'ose pas l'inviter à sortir avec moi. Elle sort avec Bernard ... Tu crois? ... Elle t'a parlé de moi? Non, je le crois pas.
3 Je ne peux pas porter un short comme ça, j'ai les jambes trop grosses. C'est OK pour toi. T'as de la chance. Moi, si je mange, je grossis.
4 Je peux pas sortir ce soir ... Non, j'ai des boutons partout ... Non. Je vais chez le médecin demain et puis on va voir ... Non, je suis absolument sûr, je ne sors pas comme ça.
5 Il faut travailler à deux. Tu veux travailler avec moi? ... Pourquoi pas? ... C'est pas vrai! Je ne pue pas. Je me suis bien lavée ce matin.

2 a Ecris une lettre. Qu'est-ce qui ne va pas? (AT4/4–6)
Pupils have a go at writing their own problem letter.

Support worksheet 23 has a model letter with sentences to complete in their own way.

b A deux: Echangez vos lettres avec un(e) partenaire et écrivez une réponse en donnant des conseils. (AT4/5–7)
They exchange letters with a partner and write a reply, using the suggestions given.

c Choisis des lettres et des réponses pour: 1 ton journal; 2 le journal de la classe. (AT4/5–7)
The class chooses some letters and replies for the magazine or newspaper. Pupils should keep an example of their own work in their files.

3 Jeu-test: Quelle sorte de personne es-tu? (AT3/4)

This is a more extended text for reading comprehension and provides them with more examples to use in their own writing.

Chez toi (AT4/4–6)

They can make up their own *Jeu-test* to put in their magazine or newspaper.

8 *Le racket au collège* (Pupil's Book pages 94–95)

Main topics and functions

- Talking about problems

Other aims

- Expressing feelings and opinions
- Extended reading

Structures

leur
ne ... jamais:
  Je ne l'ai jamais fait.

Vocabulary

*la cible
*le racket
*racketter
*le racketteur
*renfermé(e)

*les représailles
*la victime
*le voyou

*agresser
*garder le silence
*manquer de confiance
*perdre l'appétit
*porter plainte
*se sentir coupable
*se taire
  voler

*en eux
*par la suite
*par peur de
  parfois
  plusieurs fois/personnes
  une fois

1 **A deux: Sondage. Discute avec un(e) partenaire. (AT2/5–7, AT3/5–6)**
Pupils should read the text and look up any words they need. Some words are already given.

Some pupils might translate the text.

Then they read the questionnaire and answer it together. They should compare their answers with those of another pair or group.

2 **A deux: Qu'est-ce qu'on peut faire? D'accord ou pas? (AT2/5–7)**
Pupils read the different suggestions and respond to them. They then discuss their responses and their reasons with a partner, using the models given to help them.

Chez toi (AT4/5–7)
Pupils write out their own suggestions for dealing with bullying, based on the models in exercise 2.

⑨ *Je bouquine* *(Pupil's Book pages 96–97)*

Main aims • Revision and extension **Other aims** • Reading for interest • Developing awareness of language **Vocabulary** *des ados* **bidon* **la canette* **la clope au bec* **engueuler* **les mecs* **le pion* **se précipiter (sur)* **la saloperie*	*avaler* *écraser* **s'empresser* **faire les gros durs* **se faire gauler* **gueuler* **louper le car* **traîner* **carrément* **dès que* **l'adaptation* **une attirance* **la douceur* **l'indécision* **l'inquiétude* **l'intuition* **la passion*

1 a Lis et écoute. (AT3/7)

The diary is written mainly in the perfect tense and Corinne uses some of the colloquial language of the playground.

b To make pupils aware that some of these words and expressions (which are in common usage and which they are likely to hear from their peer group in France if they go on an exchange) should not be used when talking to a French adult. These instructions are in English on purpose.

Ask pupils: 'Corinne uses quite a lot of slang. Which words do you think it would not be right to use when talking to a French adult?'

2 a Vrai ou faux? (AT3/7)

Comprehension questions on the text. The answers are not all self-evident, and some pupils might choose to answer *Je ne sais pas* to more of the questions.

Answers: 1F, 2F, 3F, 4F, 5V, 6V, 7?, 8F/?, 9F, 10V/?

b Corrige les phrases qui sont fausses. (AT4/3–4)
Most pupils should be able to correct the sentences which were wrong.

Some pupils should be able to comment on the ones which they weren't sure about.

Chez toi (AT4/4–7)
Pupils write a page of their own diary. Some pupils might be able to write something on the lines of the Diary of Adrian Mole.

Reinforcement and extension worksheets

Au choix 68 (Ecouter C)
Music from different countries and instruments to identify.

1 C'est quel pays?
1 [Espagne]
2 [Allemagne]
3 [Inde]
4 [Japon]
5 [Afrique]
6 [France]

2 C'est quel instrument?
1 [la flûte] 2 [la trompette] 3 [le piano]
4 [le saxo] 5 [la batterie]
6 [la guitare électrique]

Au choix 69 (Ecouter C) (AT1/7)
La Marseillaise to listen to and sing. Pupils can compare it with other national songs and have a go at writing a song for Europe.

■ See Au choix 69 for script.

Au choix 70 (Parler C) (AT2/5–7)
Guided speaking about 'yesterday' and 'tomorrow', plus free speaking about tomorrow.

Au choix 71 (Parler C) (AT2/5–7)
Guided and free speaking about 'last week'.

Au choix 72 (Lire C)
1 Matching short descriptive texts to festivals. (AT3/4)
2 Pupils write about their own festivals. (AT4/4–5)

Au choix 73 (Lire C) (AT3/6, AT4/5–7)
Pupils give their opinion on a text about stress, and write their own piece of advice.

Bilan

This appears on the sheet **Bilan 4** so that partners can test each other and tick off and initial items. There is a second set of boxes for the teacher to initial and space for comments.

Petit portrait (AT2/3–7, AT4/3–7)

This forms the basis of the written part of the *Contrôle* (see notes below). It can also be used as a stimulus for oral work. Ask pupils to prepare and give a short talk in either the first or the third person.

Contrôle

 Listening: Core Level
This is on the sheet **Contrôle 4A.**

1 This is a reading activity to prepare pupils for the listening task. (AT3/1)

Answers:
un blouson D;
un chemisier A;
un jean E; un
pull-over G; une
chemise H;
un gilet B; un
pantalon C; une
veste F (8 marks)

2 Pupils listen and fill in the grid. The last four items are more difficult. (AT1/4–5)

Question 2: Total 24 marks

(Allow one mark for *Vêtement préféré*, one mark for *couleur* and one mark for *Autres informations*)

2 Ecoute et remplis la grille.
1 – Lydie, peux-tu me dire quel est ton vêtement préféré?
 – C'est un pull-over rouge, grand, avec les manches raglan.
 – En quoi?
 – En laine, fait par ma grand-mère pour mon anniversaire.
2 – Et toi, Serge, dis-moi: ton vêtement préféré, c'est quoi?
 – C'est une veste en cuir.
 – Et quelle couleur?
 – Elle est couleur tabac, avec des franges.
3 – Aline, ton vêtement préféré, c'est quoi?
 – Mon vêtement préféré? Uhm, c'est un gilet.
 – Et tu l'as acheté où?
 – C'est ma mère qui l'a fait. Il est en laine noir avec un motif blanc.
 – Et tu es bien dedans?
 – Oui, il est super confortable et il est très chaud.
4 – Et toi, Olivier, ton vêtement préféré, c'est quoi?
 – Mmm. Ça doit être un jean.
 – Un jean?
 – Oui, je ne porte que des jeans.
 – Et il est quelle couleur?
 – Il est bleu, un vieux jean délavé, abîmé, et super confortable.
5 – Et toi, Laetitia, quel est ton vêtement préféré?
 – Mmm. J'ai un vieux chemisier blanc de ma grand-mère.
 – Il est ancien, alors?
 – Oui, et il y a des dentelles autour du col.
 – Décris-le-moi.
 – Et bien, il a des très jolis boutons blancs, il est à manches longues, mais c'est très fragile. Je me sens jolie quand je le porte.
6 – Alain, ton vêtement préféré, c'est quoi?
 – Pour moi, c'est un blouson en cuir noir.
 – Il est comment?
 – Il a des manches raglan et une fermeture à glissière.
 – Tu l'as depuis quand?
 – Beh, ça fait très longtemps, parce que, en fait, c'est un cadeau de Noël de ma belle-soeur.
7 – Solène, quel est ton vêtement préféré?

Answers:	Vêtement préféré (A-H)	Couleur	Autres informations (Pupils note any of the following information.)
Lydie	G	rouge	manches raglan, en laine, fait par sa grand-mère pour son anniversaire
Serge	F	tabac	en cuir avec des franges
Aline	B	noir avec motif blanc	fait par sa mère, en laine, très chaud, super confortable
Olivier	E	bleu	vieux, délavé, abîmé, super confortable
Laetitia	A	blanc	ancien, était à sa grand-mère, dentelles autour du col, très fragile; elle se sent très jolie quand elle le porte
Alain	D	noir	en cuir, manches raglan, fermeture à glissière, cadeau de Noël de sa belle-soeur
Solène	H	bordeaux/vert foncé (à carreaux)	confortable, grande, était à son frère aîné, en molleton, elle la porte comme veste et comme robe de chambre
Edouard	C	bleu marine	tout neuf, en serge délavée avec braguette boutonnée, super sexy

– Euh, le vêtement le plus confortable que j'ai, c'est une très grande chemise de mon frère aîné.
– Et il te la prête?
– Il me l'a même donnée. Elle est en molleton, à carreaux, couleurs bordeaux et vert foncé.
– Tu la mets pour aller au collège?
– Oui, oui. Je la porte comme veste, et à la maison comme robe de chambre.
8 – Et Edouard, c'est quoi, toi, ton vêtement préféré?
– Moi, c'est un pantalon tout neuf, en serge délavée bleu marine, avec une braguette boutonnée.
– Heureusement qu'elle est boutonnée!
– Ah oui. C'est super sexy!

A Listing: Extension Level
〰 This is on the sheet **Contrôle 4A** 〰.

1a Pupils listen to the three conversations and write a list of the things the teenagers are going to pack. **(AT1/6)**

Answers:
1 *Any of:* un pull, deux serviettes, un jean, des polos, un short, des sous-vêtements, un maillot, une trousse de toilette, de la crème solaire, un jeu pour le Gameboy, un tuba, des palmes (8 marks)
2 *Any of:* un jean, deux tee-shirts, deux slips, un pull, un anorak, des chaussettes en laine, des chaussures de montagne, un matelas de camping, un jogging, une serviette, une lampe de poche, un sac à dos (8 marks)
3 *Any of:* deux polos, deux shorts, cinq paires de chaussettes, des tennis (blanches), une trousse, une serviette, sept slips, deux soutiens-gorge, un maillot, une raquette, un jogging (8 marks)

Pupils should be able to list up to about 8 items of those mentioned in each dialogue.

b Pupils now work out on which of the holidays in the brochure each speaker is going. **(AT1/6)**

Answers: 1 Vacances pour les jeunes; 2 Initiation à la montagne; 3 Stages sportifs (3 marks)

Question 1a & 1b 27 marks total

1 a Qu'est-ce qu'ils vont emporter? Fais leurs listes.
b Qu'est-ce qu'ils vont faire?

1 – T'as tout ce qu'il te faut, Murielle?
– Bien sûr, maman!
– Alors, tu as ton pull?
– Euh, oui, je crois.

– Et ta serviette?
– Merde! Euh ... pardon, euh ... Non, je n'ai pas de serviette. Laquelle puis-je avoir?
– Je vais t'en trouver deux, une pour la plage. Mmm. Euh, ton jean?
– Ouais.
– Des polos?
– Mhm ...
– Un short?
– Mmm ...
– Euh, tes sous-vêtements ... Ton maillot? Mais où ça? Mmm ... C'est tout? Ta trousse de toilette? Alors, la crème solaire, d'accord ... Et ça, qu'est-ce que c'est? Un jeu pour le Gameboy? Le Gameboy? Mais tu n'en as pas, toi!
– C'est pour celui d'Eric.
– Hmm. Alors, un tuba, des palmes ...
– J'espère qu'il va faire chaud.
2 – T'as fini, toi?
– Non, je n'ai pas commencé. Qu'est-ce qu'il faut faire?
– Je te lis la liste et tu cherches tes vêtements: un pantalon ou jean ...
– Un pantalon ... ah, tiens, j'ai mon jean.
– OK. Deux tee-shirts ...
– Les tee-shirts ... oui, c'est bon.
– Deux slips ...
– Ça y est.
– Ensuite, euh, un pull ...
– Les, pulls, les pulls ... ça y est, j'ai mon pull.
– Un anorak ...
– Oui, je l'ai.
– OK. Des chaussettes en laine ...
– Des chaussettes en laine ... ah, ça y est, je les ai.
– Bien. Des chaussures de montagne, maintenant.
– Ah, mes chaussures de montagne. Oui, oui, c'est bon.
– OK. Le matelas de camping, évidemment.
– Oui, je l'ai déjà.
– Et ton jogging?
– Il est déjà dans mon sac.
– Il ne faut pas oublier une serviette ...
– Je l'ai.
– Et la lampe de poche.
– La lampe de poche ... oui, oui, je l'ai.
– OK, le tout dans un sac à dos.
3 – Je ne trouve pas mon jogging. Maman! Tu sais où il est?
– Non, je ne sais pas.
– Bon. J'ai deux polos ...
– Deux polos. Oui, les voilà.
– Deux shorts ...
– Mhm.
– Cinq paires de chaussettes ...
– Ça ne fait pas beaucoup, cinq paires.
– Mes tennis ...
– Les roses?
– Non, non, les blanches.
– Ah, très bien.
– Ma trousse, ma serviette ...
– Tu l'a mise où, ta serviette?
– Dans mon sac.
– Ah, très bien.
– Mes slips ...
– Combien?

- Euh ... sept, pour une semaine. Ça suffira.
- Oui.
- Un soutien-gorge ...
- Ça ne suffit pas, un.
- Bon, alors, j'en prends deux.
- Très bien.
- Mon maillot, et ma raquette ... Mais où est mon jogging? Si ma charmante petite soeur l'a pris, je vais la tuer, je te jure ...

B Reading: Core Level

This is on the sheet **Contrôle 4B**.

1 Pupils match the descriptions to the right shirts in order to find out the price of each. **(AT3/3)**

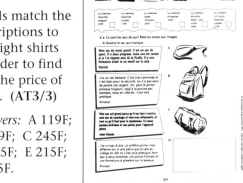

Answers: A 119F; B 299F; C 245F; D 245F; E 215F; F 265F.

Total 6 marks

2 **a** Pupils match the descriptions to the bags to find out who the owners are. **(AT3/4)**

Answers: A Arnaud; B Romain; C Patrick (3 × 2 = 6 marks)

b Pupils draw the fourth bag described. **(AT3/4)** (4 marks)

Questions 2a and 2b: Total 10 marks

B Reading: Extension Level

This is on the sheet **Contrôle 4B** and consists of brochure texts describing different sweatshirts.

1 **a** Pupils match the texts to the pictures. **(AT3/5)**

Answers: 1D; 2A; 3B; 4F; 5C; 6E (6 marks)

b Pupils label the shirts with the right colour(s), or colour them in. **(AT3/5)**

Sweatshirts E and F have two colours and therefore score two marks each. (8 marks)

Total 14 marks

C Writing: Core and Extension Levels

The stimulus for the writing activities is the *Petit portrait* on page 99 of the Pupil's Book. A range of activities can be set.

1 **Ecris un texte pour chaque image. (AT4/3–4)** Pupils write captions for each picture.

2 **a Ecris un article sur Christelle pour le journal de la classe.**

   b Tu vas faire une interview avec Christelle. Prépare tes questions.

Questions **2a** and **b** (AT4/4–6)

3 **Jeu d'imagination: Tu es Christelle. Ecris un article: Quand j'étais petite ... (AT4/4–7)**

In questions **2** and **3** pupils should use a range of tenses for level 5 and above.

Module 5: A deux roues *(Pupil's Book page 100)*

Unité	Main topics and functions	Pos Part I	Pos Part II	Skills	Grammar
Mon vélo (pp.100-101)	Giving descriptions and understanding them	2a, 2h	B	L S R W Making comparisons Expressing opinions	superlative adjectives adjectival agreement *quel/quelle lequel/laquelle le plus/le moins*
Les accessoires (pp.102-103)	Shopping and prices (revision and extension)	1c, 4d	A, B	L S R W Guided and/or improvised role play Adapting language for specific audience Developing cultural awareness	Imperatives: *Achetez ...! Buvez ...!*
Sur la route (pp.104-105)	Getting to know your way around France	3b, 4c	C	L S R W Giving and following directions Practising map-reading skills	Imperatives: *Continuez ... Passez ...*
Récréation (pp.106-107)	Revision	3a	B	R Independent reading for interest (magazine items and poetry)	
Les moyens de transport (pp.108-109)	Means of transport (revision and extension) Buying tickets (revision and extension)	1h, 2d	C	L S W Asking for and giving information Role play Understanding a recorded message	*Le train pour ... part/arrive à ... Il part de quel quai? Je voudrais un aller simple* Times and dates
Les bulldozers contre les papillons! (pp.110-111) (if extension *Contrôle* being done)	Reading newspaper headlines and articles	1f, 2g, 3i, 4a	C	L S R W Reading and listening to opinions for and against Expressing an opinion	*Je suis pour/contre ...*
J'ai vu un accident (pp.112-113)	Reporting on an event in the past	2l, 2m	A, B	L S R W Narrating events	Reflexive verbs in the perfect tense: *s'est approché* etc.
Récréation (pp.114-115)	Revision	1g		R Independent reading for interest (cartoon story)	
Le week-end (pp.116-117)	Discussing and making plans	2i, 2m	A	L S R W	Near future and perfect tense
Jeu de société (pp.118-119)	Explaining how to play a game	2b, 3d	B	R Understanding and giving instructions	*On jette/avance Celui qui*
Page de lecture (pp.120-121)	Revision and extension	1i, 3e	A	R S Extended reading comprehension (diaries) Extended speaking	
Bilan (p.122)	Revision		A, B	S	
Petite histoire (p.123)	Revision	3g		S W	
Contrôle	Revision			L R W	

1 **Mon vélo** *(Pupil's Book pages 100–101)*

Main topics and functions	Vocabulary	
• Giving descriptions and understanding them	*super chouette*	**la sonnette*
Other aims	*fantastique*	**la vitesse*
• Making comparisons	*bof*	*cassé(e)*
• Expressing opinions	*cool*	*crevé(e)*
	génial	*propre*
Structures		*sale*
• Superlative adjectives	**la chaîne*	*vieux/vieille*
• Adjectival agreement	**le frein*	
*quel/quelle	**la lumière*	
*lequel/laquelle	**le pneu*	
le plus	**la pompe*	
le moins	**la sacoche*	
	*la selle	

1 Ecoute. (AT1/5–6)

a C'est le vélo de qui?

Some members of the class are going on a bike ride. First, pupils work out from what they say which bicycle belongs to each speaker.

Answers: Daniel E, Maryline D, Christelle C, Marc A, Fleur F

b Qui va faire une balade à vélo?

The second task is to note down who is going on the ride.

Answers: Daniel, Maryline, Christelle, Fleur, ?Nadia

- Tu as un vélo, Daniel?
- Oui, il est vieux. J'ai fait du cyclisme quand j'étais petit, mais maintenant je m'en sers seulement pour aller au collège, et pour ça, un vieux vélo suffit. Oui, je viendrai.
- Et toi, Maryline? Tu fais de la bicyclette?
- Oui, le week-end nous allons tous en famille faire du VTT. Je préférerais aller avec mes copines, mais mon père insiste. Bof. C'est pas mal. On va un peu partout, à la montagne, dans la forêt ... Il y a de la boue partout, mais le vélo est très solide. Oui, je viendrai.
- Tu n'as pas de vélo, Christelle?
- Si. J'en ai eu un pour mon anniversaire. Un nouveau VTT. Mon père ne me permet pas de l'utiliser pour aller au collège, mais je peux venir mercredi.
- Toi, tu en as un, Marc. Tu es fana de cyclisme, n'est-ce pas?
- Oui, j'ai un vélo de course, mais je ne peux pas venir. Le mercredi après-midi, je sors avec le club.
- Et les jumelles? Fleur, vous avez des bicyclettes?
- Oui, nous en avons. La mienne est un peu vieille, mais pas mal. Celle de Nadia est toujours propre, elle ne s'en sert pas souvent. Je viendrai ... mais je ne sais pas ce qu'elle veut faire.

2 a Ecoute: Quels vélos préfèrent-ils? (1–5) (AT1/4)

Pupils listen and make a note of which bikes the speakers like best.

Answers: 1C, 2F, 3A, 4C, 5D

1 Je préfère le VTT jaune, c'est génial! Le rouge n'est pas mal, et les autres sont nuls.
2 Moi, je préfère le bleu. Il est chouette. Le rouge est bien, mais je n'aime pas le jaune et le noir est sale. Il faut le laver.
3 Le rouge est super chouette. J'adore les vélos de course. Je voudrais en avoir un.
4 Bof! Le meilleur, c'est le vélo de course rouge, mais si c'était pour moi je préférerais le jaune, ça c'est vraiment cool!
5 Je trouve le VTT noir, sale, le meilleur. Le jaune est trop neuf et a trop de gadgets.

b A deux: Lequels préférez-vous? Classez-les par ordre de préférence. (AT2/3–5)

In pairs, pupils discuss which bikes they like and put them in order of preference.

Some pupils should be able to give reasons for their choice.

3 a Ecoute: Qu'est-ce qui ne va pas? C'est quelle image? (AT1/2)

Pupils refer to the labelled picture for the names of the parts of a bicycle. Then there are five pictures to match with the spoken texts.

Answers: 1C, 2E, 3A, 4B, 5D

1 La chaîne est cassée.
2 Il n'y a pas de lumière.
3 J'ai perdu ma pompe.
4 Mon pneu est crevé.
5 Je n'ai pas de sacoche.

b A deux: Qu'est-ce qui ne va pas? Reliez les expressions pour faire des phrases. (AT2/2)
Guided speaking.

Support worksheet 24 has further work on the parts of the bicycle and space to complete the sentences. (AT4/2)

Chez toi (AT4/4–5)
Pupils imagine that one of the bikes pictured is theirs and describe it.

4 Décris ton vélo ou un vélo imaginaire. (AT4/4–5)
Pupils could be invited to design a bike of the future. If they need help, let them write up some ideas on the board first, e.g. *cent vitesses, une radio/un vidéo intégré(e), un parapluie, un moteur à réaction*, etc.

Le saviez-vous? (AT3/5)
The unit finishes with a short text about the Tour de France. This will be followed up in the next unit.

② *Les accessoires* (Pupil's Book pages 102–103)

Main topics and functions	Vocabulary	
• Shopping and prices (revision and extension)	*un bidon	bon marché
Other aims	la boisson	de bonne qualité
• Guided and/or improvised role play	*une casquette	de qualité supérieure
• Adapting language for specific audience	un maillot	frais/fraîche
• Developing cultural awareness (Tour de France)	une paire de gants	moins cher qu'ailleurs
Structures	*une sacoche	protéger (protègent)
• Imperatives:	la santé	toute la journée
Achetez ...!	un short	
Buvez ...!	des soquettes	
Mangez ...!		
Portez ...!	bleu marine	
	en aluminium	
	rose/vert fluo	

1 Ecoute. (AT1/4)
a Qu'est-ce qu'ils achètent? (1–6)
b Ça coûte combien?
The listening exercises involve answers which are not quite straightforward. This is to help pupils to prepare for coping with the unpredictable and to develop language for a reply which is not anticipated, e.g. *Je ne sais pas; On ne dit pas le prix; Nous ne savons pas s'il les achète.*

Answers: 1 gants rouges 80F, 2 rien (casquette bleue 50F trop chère), 3 ?maillot jaune sans prix, 4 bidon en aluminium 35F, 5 ?soquettes blanches 75F (chères), 6 sacoche noire sans prix

1 – Je voudrais une paire de gants.
   – Quelle couleur?
   – Les rouges. Ils coûtent combien?
   – 80F.
   – Bon, je les prends.
2 – J'ai besoin d'une casquette.
   – Laquelle préférez-vous?
   – La bleu marine. Elle coûte combien?
   – 50F.
   – Ah non, c'est trop cher.
3 – Avez-vous des maillots vert fluo?
   – Euh, non, je n'en ai pas. J'en ai en jaune. Voulez-vous les voir?
   – Oui. Je veux bien.
4 – J'ai besoin d'un bidon pour les boissons.
   – Oui, oui. Les voilà, sur l'étagère.
   – Je prends celui-ci en aluminium. C'est combien?
   – 35F.
5 – Je veux acheter des soquettes.
   – Quelle couleur?
   – Blanches.
   – Et quelle pointure de chaussure?
   – 39.
   – Les voilà.
   – Elles coûtent combien?
   – 75F.

   – Ahh!!
6 – Regarde la sacoche. J'en ai besoin.
   – Oui, mais ça coûte cher.
   – Oui, mais j'adore le rose fluo!
   – Beurk.
   – J'ai mis de l'argent de côté. J'ai eu de l'argent pour mon anniversaire. Je vais en acheter une.
   – Laquelle?
   – La noire!
   – Tant mieux!

2
a A deux: Qu'est-ce que vous préférez, les gants rouges ou les gants noirs? etc. Pourquoi? (AT2/3–5)
Pupils now have to say which of the pairs of items they would buy, and most pupils should give a simple reason for their choice, such as a colour preference.

b A deux: Jeu de rôles (AT2/4–5)
This is a simple mapped shopping dialogue for role play, preparing pupils to cope with the unpredictable: in this case non-availability of some items.

Some pupils should be able to improvise their own dialogues and introduce more unpredictability.

3
a Ecoute: La pub. Qu'est-ce qu'ils vendent? (AT1/6)
Pupils listen and write down the name of the item which is being advertised.

1 Avec le maillot 'Winner', soignez vos rondeurs. Le maillot 'Winner': il est de bonne qualité et moins cher qu'ailleurs.
2 Les gants 'Happihands' protègent les mains. Avec les gants 'Happihands', ça commence fort et ça finit bien.
3 J'sais pas ce qu'y a, j'suis raplapla ... Il faut boire Chocomix. Chocomix, c'est bon pour la santé. C'est bon pour la santé, la boisson des

114

champions. C'est bon pour la santé, la boisson des champions. Buvez-ez Chocomix, buvez-ez Chocomix! Oh, c'est bon pour la santé, la boisson des champions ...

4 Le short des sportifs en bouton, c'est 'Champion'.

5 Dis, donne-nous un peu de ton bidon. Dis, donne-nous-en ... Dans le bidon 'Frais', la boisson reste fraîche toute la journée. Oh, ...

6 Mettez-y toutes vos affaires, dans la nouvelle sacoche imperméable. Elles restent sèches même sous la pluie. La sacoche imper, c'est la sacoche 'Super'!

b A deux: Choisissez un objet et faites une pub. (AT2/5–6)

Looking at the examples given and using them as models, pupils should be able to make their own poster or record their own advert. This work should be kept as an example of a particular style of language and evidence of working together. It can replace material on advertising kept from last year.

4 a Ecoute: Qu'est-ce qu'ils ont acheté? (AT1/4)

French teenagers play 'I went to market and I bought a ...' The task is to listen and make a list of the items they 'buy'.

Pupils could draw the item mentioned to help them to remember it.

– Je suis allé en ville et j'ai acheté un tee-shirt vert fluo, taille 36.
– Moi, je suis allée en ville et j'ai acheté un tee-shirt vert fluo, taille 36 et une paire de bottes en caoutchouc.
– Je suis allé en ville et j'ai acheté un tee-shirt vert fluo, taille 36, une paire de bottes en caoutchouc et des joggers Nike.
– Je suis allée en ville et j'ai acheté un tee-shirt vert fluo, taille 36, une paire de bottes en caoutchouc et des joggers Nike et un parapluie rouge.
– Je suis allée en ville et j'ai acheté un tee-shirt vert fluo, taille 36, une paire de bottes en caoutchouc et des joggers Nike et un parapluie rouge et un maillot noir ...

b Jouez en groupe: Je vais en ville et j'achète ... (AT2/3–4)

Pupils play the same game themselves.

5 Travaillez en groupe: Faites un sondage. (AT2/3–4, AT4/4–5)

Pupils carry out a survey after having first chosen the aspect of the topic they want to follow up.

By now, most pupils should be able to work out how to word their questions for themselves, but some may still need help:

Quelle question est-ce que vous allez poser?

Other questions might be: *Combien d'élèves ont un VTT? Combien ne savent pas faire du vélo?*

Word patterns 4 *(Mon, ma, mes? Son, sa, ses?)* may be used at this point when talking about one's own and other people's things (see page 70).

Le saviez-vous? (AT3/5)

This is a more extended text about the Tour de France to read for interest. Pupils who have finished their other work could write a summary, or translate it and type up their translation on the word processor, for the pupils who have spent longer on other exercises.

Some pupils might like to make up comprehension or cloze exercises for others to do.

At this point you could use the worksheet **Au choix 74** (**Ecouter A** Reinforcement); see pages 117-118 below.

Chez toi (AT4/4–6)

This is a written version of exercise 3b.

③ *Sur la route* (Pupil's Book pages 104–105)

Main topics and functions

- Getting to know your way around France

Other aims

- Giving and following directions
- Practising map-reading skills

Structures

- Imperatives:
  continuez
  empruntez
  passez
  prenez
  quittez
  suivez

Vocabulary

une autoroute
la circulation
**une (route) départementale*
*un bouchon
**une (route) nationale*
*le péage
les routes
un ticket

**je vous conseille/nous vous
  conseillons de*
*éviter
partir de
*rejoindre

*se rendre à

*à la hauteur de
*en sortant de
  jusqu'à
  après

---

1 Ecoute: Où vont-ils? (1–6) (AT1/5–6)

Pupils listen to the directions being given and work out the intended destinations.

Answers: 1 Paris, 2 Strasbourg, 3 Besançon, 4 Grenoble, 5 La Rochelle, 6 Lorient

Support worksheet 25 has the gapped text of the recording for pupils to fill in the road numbers.

For pupils whose map-reading skills are not very advanced, begin by asking what places they have heard of in France (football teams, perhaps) and finding them on the map. Then listen and work the first one out together. Afterwards, listen again and make a list of words that will be useful in giving directions: *prenez, continuez, passez, suivez, quittez,* etc.

Some pupils might be able to offer an alternative route:

Est-ce qu'il y a une autre route pour aller à Paris? (N1)

Quelles différences est-ce qu'il y a entre la route nationale et l'autoroute? (plus rapide/coûte plus cher)

Answers: 1 Paris, 2 Strasbourg, 3 Besançon, 4 Grenoble, 5 La Rochelle, 6 Lorient

1 Vous arrivez à Calais? Il faut prendre l'A26 ... et puis l'A1. Il vous faut à peu près trois heures. La limitation de vitesse sur l'autoroute est de 130 kilomètres/heure.

2 Vous sortez de Calais et suivez l'autoroute 26, vous continuez tout droit – vous ne prenez pas l'A1 – vous passez par Reims et prenez l'autoroute 4, vous passez par Metz et continuez sur l'A4. C'est facile, mais c'est long. D'ici, il faut à peu près six heures, six heures et demie.

3 Je vous conseille de prendre l'A26 à partir de Calais et, au lieu de passer par Paris, passez par Reims et continuez ... Il y a quelques kilomètres où l'autoroute n'est pas encore finie, mais la route est bonne, et vous continuez ... C'est toujours l'A26 jusqu'à Langres et puis vous prenez la Nationale 19 et vous tournez à droite sur la Nationale 36, c'est le plus direct.

4 De Calais, prenez l'A26 et l'A1, passez par Paris et prenez l'A6 ... Suivez la direction de Beaune. A Lyon, prenez l'autoroute 43, et après une demi-heure vous prenez ... euh ... l'A48 et vous y êtes.

5 Après Paris, vous prenez la direction A11, A10. Puis, vous suivez l'A10. Vous passez par Orléans et Tours ... Vous quittez l'autoroute juste après Poitiers et prenez la N11.

6 Vous arrivez au Havre? Zut! ... Bon, en sortant de la ville vous prenez l'A15, qui rejoint l'A13 après le pont de Tancarville. Vous suivez la direction de Caen, pas Paris, et après Caen vous prenez ... la Nationale 176 jusqu'à Rennes et puis la Nationale 24.

2 a A deux: Quelles routes est-ce qu'on va prendre? (AT2/3–5)

Now it is the pupils' turn to work out which road to use.

At a simple level they could just list possible road numbers.

Others should be able to give or record directions.

Answers: (These are the most likely routes, but there are others.)
1 A26, A1 or N1
2 N15
3 N15 or A15, A13
4 N20, N141, N10 or A10
5 A1, A26, A4
6 A26, A7, A50
7 D941, A72, A6, A7 or N20, A61, A7
8 A4, A11, A81

b A deux: Choisis une destination en France et un itinéraire pour y aller. Explique-le (ou écris-le) pour un(e) partenaire.
(AT2/4–5, AT4/5–6)

Pupils choose any destination and explain how to get there. Their partner finds the route on the map. This could be done as a team game – pupils (or pairs of pupils) preparing three routes and then taking turns to read one out for the other team to follow. (They prepare three in case someone else uses one of theirs.)

This could be a homework exercise – to write up a route for a partner to 'do' in the next lesson or for the next homework. Remind pupils to make a note of the answers!

3 Ecoute: Flash infos. Quelles routes sont conseillées? (AT1/7)

This exercise is on **Support worksheet 26.** Pupils listen and fill in the missing information.

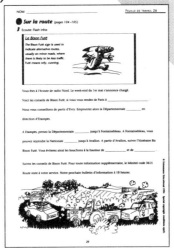

Pupils should guess at the reason for the problem, or be able to ask what a word that they don't know means, e.g. *Bouchon, qu'est-ce que c'est en anglais?*

Vous êtes à l'écoute de radio Nord. Le week-end du 1er mai s'annonce chargé. Voici les conseils de Bison Futé. Si vous vous rendez de Paris à Marseille, nous vous conseillons de partir d'Evry. Empruntez alors la Départementale 19 en direction d'Etampes. A Etampes, prenez la Départementale 837 jusqu'à Fontainebleau. A Fontainebleau, vous pouvez rejoindre la Nationale 6 jusqu'à Avallon. A partir d'Avallon, suivre l'Itinéraire Bis Bison Futé. Vous éviterez ainsi les bouchons à la hauteur de Beaune et de Lyon.
Suivez les conseils de Bison Futé. Pour toute information supplémentaire, le Minitel code 3615 Route reste à votre service. Notre prochain bulletin d'information à 18 heures.

4 A deux. (AT2/3–5)
a Est-ce que c'est en France ou en Angleterre?
b Comment savez-vous que c'est en France ou en Angleterre?

Pupils should simply deduce which country the sign is in. Note that there is no way of telling which country picture 5 is in.

They should also be able to say how they know, e.g. *Les voitures sont à gauche/à droite.*

Answers: 1 Angleterre, 2 France, 3 Angleterre, 4 France, 5 je ne sais pas

At this point you could use the worksheets **Au choix 75 (Ecouter A Extension), Au choix 77 (Parler A Extension), Au choix 81 (Ecouter B Extension)** and **Au choix 90 (Lire C Extension)**; see below.

Mini-test 9
(AT2/4–6)

The sheet **Mini-tests 9 & 10** has models of the language needed for this test.

Reinforcement and extension worksheets

Au choix 74 (Ecouter A) (AT1/4)
Descriptions of bikes with a grid to fill in.

C'est le vélo de qui? Remplis la grille et devine.
– Quelle sorte de vélo as-tu, Yann?
– Un vélo de tourisme, vieux, abîmé. Il n'a plus beaucoup de peinture. C'est tout juste si on aperçoit un peu de rouge.
– Et toi, Céline, c'est quoi ton vélo?
– Moi, j'ai un VTT. Il est super! J'ai un bidon et une sacoche.
– Et toi, Aurélie, ton vélo?
– Moi, je n'ai pas de vélo. J'emprunte celui de ma soeur quand il m'en faut un.
– Et ton vélo, Elisa, il est comment?
– Moi, j'ai un vélo de course. Il est génial! J'ai un bidon, pour boire quand j'ai soif. Il est noir, avec 10 vitesses.
– Quelle sorte de vélo as-tu, Antoine?
– C'est un vélo de course, tout neuf. Il est bleu, avec une sacoche et 5 vitesses.
– Et Claude, ton vélo, il est comment?
– Ben moi, mon vélo, c'est un VTT. Il a douze vitesses et une grande sacoche.

Au choix 75 (Ecouter A) (AT1/6)
The highway code: matching signs to the descriptions and listening to check.

Le code de la route
2 Ecoute et vérifie.
– Le numéro un: ici, on ne peut pas tourner à gauche.
– T'es sûr?
– Oui, bien sûr ... et le numéro deux: on ne peut pas rouler à plus de 50km à l'heure.
– Ouais.
– Le trois ... euh ... j'sais pas.
– Le quatre, c'est ... on ne peut pas entrer.
– Fais voir. Non, ce n'est pas ça: on ne peut pas stationner ici. Et le trois, c'est interdiction de s'arrêter.
– Et le cinq? On ne peut pas jouer de la trompette?
– Dis donc! On ne peut pas utiliser le claxon. Signaux sonores interdits. T'est fou, toi!
– Six: pas de camions. Sept: piétons, passage pour piétons.
– Huit: une direction ... euh ...
– Sens unique, tu veux dire! Qui est stupide maintenant?
– Neuf, pas de dépassement ... et ici, dix, on peut acheter des lozanges jaunes: enfin, route prioritaire.
– Onze, c'est une interdiction ... aux voitures et motos?
– A tous les véhicules. Douze, on peut doubler ... fin d'interdiction de dépasser ... et treize ...
– Le voilà. Euh ... la route vire à gauche.
– A droite, idiot!
– Oh, je ne sais pas ... oui, à droite.
– Quatorze: c'est une piste pour les cyclistes, et quinze ...
– Arrêt au carrefour. Seize: défense d'entrer.
– Dix-sept: piste pour les cyclistes ... euh ... quelle différence y a-t-il entre le dix-sept et le quatorze?
– J'sais pas. Et le dix-huit?
– Il va pleuvoir. C'est quelqu'un qui ouvre un parapluie. Voilà, c'est fini!

Au choix 76 (Parler A) (AT2/3–4)
Choosing a topic and carrying out a survey, recording the results.

Au choix 77 (Parler A) (AT2/5–6)
Using a map, pupils discuss and decide on a route for a cycle ride, then record a description of it.

Au choix 78 (Lire A)
1 Puzzle pictures of parts of the bike to label. (AT3/1)
2 'True/false' questions on a text about Chris Boardman. (AT3/4)

Au choix 79 (Lire A) (AT3/5)
The history of the bicycle: 1 Matching texts to pictures and 2 'true/false' questions.

Au choix 81 (Ecouter B) (AT1/6)
Pupils follow instructions for a video game to arrive at the finishing position.

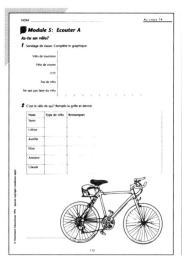

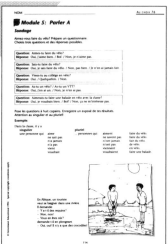

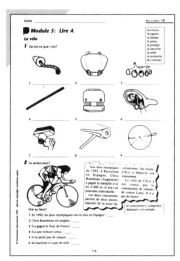

1 Ecoute et trace les parcours expliqués sur les plans.
Commence avec le bateau A. Il va à gauche, jusqu'à B, puis traverse le détroit vers C, va à droite vers D, et retraverse le détroit.
Puis, on sort le bateau B. Il va à droite, vers A, traverse le détroit et va vers D, retraverse le détroit et s'arrête à côté de A.
Sors le bateau C en direction de D, puis prends la direction de B. (Là, on est en position numéro 1.)
On continue ... B reprend son voyage, part à gauche, traverse le détroit, continue vers D et s'arrête à côté de C. A se rapproche de C, puis

repart en suivant le même parcours que B et
s'arrête à côté de B. (Là, on est en position 2.)
Maintenant, B peut aller chercher notre petit
homme sur son île et le ramener vers le continent,
et A peut suivre B et faire un pont entre B et le
continent pour ramener le petit homme qui est
sauvé.

 Au choix 90 (Lire C) (AT3/3)
Road signs to match to their explanations.

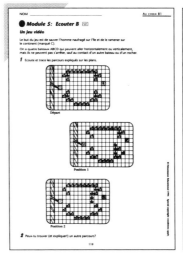

Récréation *(Pupil's Book pages 106–107)* **(AT3/5)**

'Patrick Swayze' is an extract from a teenage
magazine, providing material for reading
comprehension and a model for basing their own
work on at a later date, revising personal
information. There is also a poem to read for
interest and a cartoon.

Les moyens de transport (Pupil's Book pages 108–109)

Main topics and functions

- Means of transport (revision and extension)
- Buying tickets (revision and extension)

Other aims

- Asking for and giving information
- Role play
- Understanding a recorded message

Structures

- Times and dates
Le train pour ... part à ...
Il arrive à ...

Il part de quel quai?
Je voudrais un aller-retour/un aller simple
à/à la/à l'/au/aux/en
en avion/car

Vocabulary

un avion	**les marchandises*
un bus/autobus	**le moyen de transport*
un camion	
un car	**par eau*
une moto	**par pipeline*
un train	**par route*
un vélo	**par voie ferrée*
une voiture	

---

1 a A deux: Combien de moyens de transport connaissez-vous? (AT2/1)

Pupils first brainstorm to see how many different words for means of transport they can remember. After three or four minutes, let them look up the French for the ones they don't know.

b A deux: Comment on va ...? (AT2/2–3)

Now let them say how they would normally expect to go to various places. As well as talking about the means of transport, they are revising using *à/à la/à l'/au/aux/en,* and should be developing a sense for which to use in the different contexts.

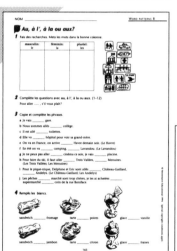

Word patterns 8 (*Au, à l', à la ou aux?*) is appropriate here when talking about directions, and also when talking about food.

👆 **Support worksheet 27** has transport pictures to label and examples to help with part **b** of the exercise. (AT4/2–3)

Answers (1a): voiture, (auto)bus, avion, moto, ferry, car, hélicoptère, train, bicyclette/vélo, fusée, camion/ poids lourd, à pied

〰 Some should be able to give alternative ways of going to the same places, e.g. *On va ... en voiture, mais on pourrait y aller ...*

2 Ecoute. (1–6) (AT1/4–5)
a Où est-ce qu'ils vont?
b Comment est-ce qu'ils voyagent?

The task is to find out where the speakers are going for their holidays this year and how they are travelling.

〰 Pupils should take notes and expand on the information.

Answers: 1 Italie, voiture, 2 Guadeloupe, avion, 3 Alpes, car, 4 Côte d'Azur, vélo, 5 Bretagne, voiture, 6 Méditerranée, –

N.B. The interviewer (no.6) does not say how they are going to travel to the Mediterranean: the correct answer should therefore be, e.g. *Je ne sais pas* or *Elle ne le dit pas* (coping with unpredictability). Martine (no.3) uses the abbreviation *colo* for *colonie de vacances* – an alert pupil should ask *Colo, qu'est-ce que c'est en anglais?* – or may even remember it.

📟 1 – Où est-ce que vous allez en vacances cette année, Amélie?
   – Je vais en Italie. Nous y allons en voiture. On part le soir et mes parents conduisent pendant la nuit. Le lendemain, on arrive pour le petit déjeuner.
  2 – Et vous, Fabrice?
   – J'ai une tante qui habite en Guadeloupe et j'y vais avec mon grand frère. On prend le vol direct de Paris à Pointe-à-Pitre.
  3 – Martine? Est-ce que vous partez en vacances?
   – Oui, je vais en colo dans les Alpes. Il y a un car qui vient nous chercher. Je dois être à la gare routière à cinq heures du matin!
  4 – Et toi, Claude?
   – Je vais sur la Côte d'Azur avec un copain. On part en vélo et on va camper tout près de la plage.

5 – Et Maryline?
  – Nous allons au bord de la mer aussi, mais en Bretagne. Mes parents louent un gîte et nous partons en voiture. Et vous?
6 – Moi? Oh, on a loué un bateau et ... et on va faire une croisière en Méditerranée.

3 a Ecoute: Les trains pour Paris partent à quelle heure? (AT1/6)

Pupils listen to the recorded message and note the train times. (This is an exercise in extracting specific information from a more difficult text.)

 Bonjour. Vous êtes en relation avec le répondeur de la SNCF. Le premier départ pour Paris sera à 7.47, arrivée 8.57. Train à supplément. Bar ambulant pour petit déjeuner. Circule tous les jours sauf dimanche et fêtes.
Prochain départ 8.51, arrivée 10.01 à Paris. Train direct Corail 1re et 2me classe.
Départ suivant 10.06, arrivée 11.39 à Paris. Omnibus Corail 1re et 2me classe.
Dernier départ 12.55, arrivée 14.09 à Paris. Circule tous les jours sauf dimanches et fêtes. Bar ainsi que service restauration en 1re classe.
Merci de votre attention.

b A deux: Jeu de rôles (AT2/4)

An 'at the station' role play for revision of asking the time of a train, which platform it goes from and booking a ticket.

Some pupils should be able to improvise a booking office dialogue and record it.

4 a Ecoute: Quand est-ce que tu arrives? (1–6) (AT1/2–3)

This is a simple listening exercise, revising days, dates and times. Pupils are listening for specific information and should write down the day or date and time when the speakers are arriving. This is an easier exercise than exercise 2, but pupils should be given credit for correctly deducing the meaning of *après-demain* in no.3.

Answers: 1 Monday 6.30/18.30, 2 15th June 11.25, 3 day after tomorrow 2.00/14.00, 4 22nd June 13.37, 5 3rd July 15.43, 6 Saturday 11.56

 1 J'arrive lundi prochain à six heures et demie du soir.
2 J'arrive le 15 juin à onze heures vingt-cinq.
3 J'arrive après-demain à deux heures de l'après-midi.
4 Je viens le 22 juin. Le train arrive à treize heures trente-sept.
5 J'arriverai le 3 juillet à quinze heures quarante-trois.
6 J'arrive samedi matin à onze heures cinquante-six.

b A deux: Quand est-ce que vous arrivez? (AT2/3–4)

This is a guided speaking exercise. Pupils might like to make up some more examples for a partner to write down – or they might write some for their partner to read out.

Support worksheet 28

offers further opportunities for practice. (AT4/3)

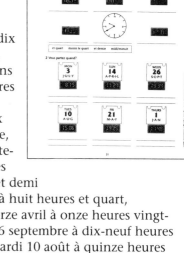

Answers:
1 quatre heures moins le quart, dix heures et demie, trois heures moins le quart, six heures et quart, huit heures vingt, dix heures cinquante, huit heures trente-cinq, neuf heures quarante, midi et demi
2 lundi 3 juillet à huit heures et quart, dimanche quatorze avril à onze heures vingt-sept, mercredi 26 septembre à dix-neuf heures trente-quatre, mardi 10 août à quinze heures six, vendredi 21 mai à dix-neuf heures vingt-cinq, jeudi 1er janvier à dix-sept heures quarante-huit

5 Moyens de transport pour les marchandises: Explique le graphique. (AT4/4–5)

The pie chart shows how goods are transported in France. The task is to interpret the information given in the chart, using the words provided.

Some pupils might like to carry out a survey of their own, for example on how pupils come to school, present the information graphically using DTP and write a short 'report'.

At this point you could use the worksheet **Au choix 80 (Ecouter B** Reinforcement); see page 125 below.

Chez toi (AT2/4–7, AT4/4–7)

Pupils are to work out what travel advice they would give to a penfriend to help him/her to get from Paris to where they live. The information should be written down or recorded on cassette.

5 Les bulldozers contre les papillons! *(Pupil's Book pages 110–111)*

<table>
<tr><td>

Main topics and functions

- Reading newspaper headlines and articles

Other aims

- Reading and listening to opinions for and against
- Expressing an opinion

Structures

Je suis pour ...
Je suis contre ...

Vocabulary

*le centre-ville
*la circulation
*la clientèle
*le commerçant

</td><td>

*l'habitat
*le papillon
*la pelleteuse
*le périférique/la route périférique
*les plantes sauvages
*le poids lourd
*la pollution
*les prairies

abattre (abattu)
apporter
construire
détruire (détruit)
respirer
sauver
traverser

</td></tr>
</table>

1 a A deux: Pour ou contre le périférique? (AT3/6)

Pupils read the newspaper cuttings and decide which are for and which against the new road. Each pair should then compare their results with another pair.

Answers:
Pour: 2, 6
Contre: 3, 4, 5, 7, 8, 9, 10
?: 1

On **Support worksheet 29** there are statements in English corresponding to the French cuttings, to be matched up and identified as 'for or against'.

Answers: A3, B7, C1✓(?), D4, E2✓, F5, G9, H6, I10, J8

b Ecoute: Pour ou contre? (AT1/6–7)

Now they listen to the speakers and decide whether they too are for or against the road. They compare results.

Answers: 1 pour, 2 contre, 3 contre, 4 pour, 5 contre, 6 contre

1 Je pense que la nouvelle route est nécessaire. Elle permettra de dévier le trafic en transit et rendra ainsi notre ville plus calme et plus sûre.

2 Une route périphérique entraînera inévitablement un accroissement du bruit et de la pollution! Il faudra ensuite ériger des murs pour s'en protéger.

3 Les touristes risquent d'oublier notre ville quand ils emprunteront le périphérique. Ils auront tendance à continuer leur chemin sans s'arrêter!

4 Cette ceinture est tout à fait indispensable. Elle va soulager le centre-ville du passage des poids lourds et laisser plus d'espace aux cars de touristes.

5 La construction et l'entretien d'une telle route coûtent cher! Et qui va payer? A n'en pas douter, les impôts locaux vont augmenter!

6 Il y a déjà trop de routes et de voies d'accès dans les villes, cela devient irrespirable.

Support worksheet 29 (see above) has extracts from the recording to complete. (*Answers:* see script above.)

2 Trouve les différences. (AT2/5–7)

'Before' and 'after' pictures of the town for pupils to compare and discuss, using language already met in exercises 1 and 2.

3 A deux: Qu'est-ce que vous en pensez? Faites une liste des arguments pour et des arguments contre. (AT2/5–7)

Pupils should discuss their lists in pairs and then with another pair. They should be getting used to expressing their views and becoming more fluent in using some of the expressions, ready to take part in a class debate. Record interviews on cassette or video pupils pretending to be TV presenters and interviewing others about the proposed road.

4 Organisez un débat dans la classe. (AT2/5–7)
There should be two people to speak for the road and two against. Discuss the language you might need and make a glossary of key words first. Try to keep it simple and as far as possible use language with which pupils are already familiar. Put these phrases where they can all see them if it would be helpful:
Je ne suis pas d'accord.
Ce n'est pas vrai.
A mon avis, ...
Il s'agit de ...
C'est mieux/pire ...
Je pense que ...

If it would make it more interesting, the debate could be put into a local context – but it would be easier to base it on Papillonville first. Everybody should be encouraged to make at least one contribution to the debate. After (or during) the debate, let pupils write a list of words and expressions (in English) that they wished they had known, so that they can look them up and run off a sheet of useful expressions ready for next time.

Word patterns 9 *(Poser des questions)* and **10** *(Non, merci)* are about asking questions, interviewing and saying 'no'. They can be used to revise the language needed to seek opinion, and to carry out interviews and surveys.

At this point you could use the worksheet **Au choix 85 (Lire B** Extension); see page 125 below.

Chez toi (AT4/5–7)
Pupils prepare a short report for their newspaper or magazine.

The project could be put into a local context, e.g. a new road/bus lane/cycle path/pedestrian area for your locality.

6 J'ai vu un accident (Pupil's Book pages 112–113)

Main topics and functions

- Reporting on an event in the past

Other aims

- Narrating events

Structures

*all structures receptive only

- Reflexive verbs in the perfect tense:
  s'est approché(e)
  s'est écrasé(e) contre
- Imperfect tense:
  signalait son intention de

Vocabulary

un ballon de foot
*une mobylette
une moto
un mur
*un retraité
un vélo
une voiture

au carrefour
au feu rouge
au milieu

*brûler le feu rouge
essayer
*être blessé(e)
*être renversé(e) par
*être transporté(e) à
éviter
partir (est parti(e))
*percuter
*perdre le contrôle de
*refuser la priorité à
*respecter le stop
*tomber (est tombé(e))

---

1 a Ecoute: L'accident. Que s'est-il passé? Mets les phrases dans le bon ordre. (AT1/5–6)
Pupils listen to the tape and look at the diagram. They listen again and put the phrases into the right order.

Pupils could try to put the sentences in a sensible order *before* listening to the recording.

La voiture blanche s'est arrêtée au feu rouge.
La moto s'est arrêtée à côté d'elle et signalait son intention de tourner à gauche.
Le feu a changé.
La voiture blanche est partie.
La voiture noire qui venait de l'autre direction a brûlé le feu rouge.
La personne dans la voiture a vu la moto au dernier moment.
Elle a essayé d'éviter un accident et s'est écrasée contre le réverbère.
Heureusement, la fille qui conduisait la moto n'est pas blessée.

b A deux: Lisez le texte à haute voix, une phrase chacun à tour de rôle. (AT3/5)
Let pupils practise reading aloud what has happened in the right order, as if they were reporting the accident, to get used to the sound of the words.

2 a Que s'est-il passé? Trouve le bon texte pour chaque situation. (AT3/5)
Reading comprehension practice: pupils have to find the right picture for each descriptive text.

Answers: 1C, 2F, 3B, 4A, 5E, 5D

b Ecoute: C'est quelle image? (AT1/6–7)
The recorded texts refer to the same accidents, but in more detail.

Pupils simply write down which picture they refer to.

Answers: A2, B1, C6, D4, E3, F5

Quelles autres informations est-ce que tu peux noter?
They note any extra information and pool all the information in the group or class afterwards. Pupils should write down new words and look them up.

As an extra activity, they could choose one of the accidents, construct a report and record it.

A Le véhicule de M. Norbert a percuté le mur de la maison du curé hier matin à 8.45h.
B Les deux voitures se sont heurtées au carrefour St.-André. M. Dupont, qui allait en direction d'Elbeuf, n'a pas respecté le stop, et a refusé la priorité à M. Lébert qui venait de sa gauche.
C Benjamin, âgé de huit ans, a été renversé alors qu'il traversait le pont Mathilde, hier matin, pour aller à l'école St.-Justin. Le feu était encore vert pour les voitures, selon les témoins. L'enfant a été transporté à l'hôpital Charles Nicolle. Heureusement, sa vie n'est pas en danger.
D Mme Bézu est tombée au milieu de l'avenue Clémenceau, alors qu'elle sortait du supermarché. Ses deux sacs en plastique étaient renversés sur la chaussée.
E William Grelier, quatre ans, qui courait après son ballon de foot a été renversé par une mobylette, hier, rue Malherbe. Heureusement, l'enfant n'a pas été blessé, mais son ballon a disparu.
F Un retraité a perdu le contrôle de son vélo, hier soir et a heurté la voiture de M. Badour. Il a été transporté à l'hôpital Charles Nicolle, mais heureusement il n'est pas en danger.

3 Tu as vu cet accident. Raconte aux agents de police ce qui s'est passé et prépare un résumé. (AT2/5–7, AT4/5–7)
Pupils interpret the picture story, using the verbs given to help them.

At this point you could use the worksheets **Au choix 84 (Lire B** Reinforcement) and **Au choix 91 (Lire C** Extension); see below.

Mini-test 10
(AT2/4–7)

The sheet **Mini-tests 9 & 10** has models of the language needed for this test.

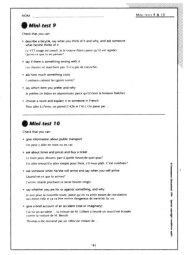

Reinforcement and extension worksheets

Au choix 80 (Ecouter B) (AT1/4)
People talking on the phone about their holiday: pupils **1** note the details on a grid and **2** identify the pictures.

1 Ils arrivent quand?
1 C'est moi, Ludovic ... oui, oui, toujours à Rome. Ecoute, j'arrive le 13 juin ... Oui, le 13 ... Ouais ... euh ... attends, uhm ... voyons, 14.47h. Oui, c'est ça: 14.47h. Bon. ... Oui, oui, oui, fantastique, chaud. ... Ah oui, très chaud. J'ai pris beaucoup de photos.
2 Mireille ... oui, c'est moi. Ecoute ... oui, Paris ... le 17 juin. ... Le 17. ... A quelle heure? Euh ... 18.52h. ... Oui, c'est ça, 18.52h. ... Oh, c'était très bien, ensoleillé ... J'ai fait du shopping.
3 C'est moi, Arsène. Oui, je suis toujours à Lyon. Lyon, oui ... Le 14 juin ... le 14 juin ... A quelle heure? Uhm ... 17.49h. 17.49h. ... Oui? ... Uhm, pas formidable, hein? Pluie ... J'ai joué au tennis.
4 Maman, c'est moi, Françoise ... Oui, oui, Grenoble ... Oui, je pars le 11 juin ... le 11 juin ... l'après-midi à trois heures et demie ... trois heures et demie ... Ah oui, oui, super. On a même fait du ski. ... Oui, ski d'été, sur le glacier, aux Deux Alpes.
5 C'est Thomas ... Oui, à Nice, Nice ... Je rentre le 16 juin, le 16 juin ... Au soir, à 19.58h, je crois ... Oui, 19.58h. ... Ah non, un peu ennuyeux ... chaud. J'ai nagé et fait de la plongée.

Au choix 82 (Parler B) (AT2/4–6)
Using the imagination to finish telling a story.

Au choix 83 (Parler B) (AT2/5–6)
Preparing and recording a weather forecast, with maps as cues.

Au choix 84 (Lire B)
1 Matching texts about accidents to pictures. (AT3/3)
2 Reading a report and labelling a picture. (AT3/5)

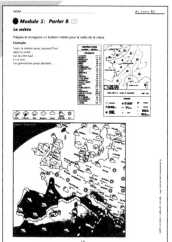

Au choix 85 (Lire B)
A report about a proposed bridge: **1** 'true/false' questions (AT3/6) **2** pupils correct the false statements **3** they give their own opinion. (AT4/3–4)

Au choix 91 (Lire C) (AT3/6)
Pictures to match to a report of an accident.

For **Au choix 81 (Ecouter B)** see page 118.

Récréation *(Pupil's Book pages 114–115)* **(AT3/5)**

This is a cartoon story to read for interest.

7 Le week-end *(Pupil's Book pages 116–117)*

<table>
<tr><td valign="top">

Main topics and functions

• Discussing and making plans

Structures

• Perfect tense (revision and extension):
Au lieu d'aller ..., il est allé ... et ...
• The near future (revision and extension):
Qu'est-ce qu'on va faire?
On va ...
On pourrait ...
J'aurais préféré ...

</td><td valign="top">

Vocabulary

une balade à/en vélo
un pique-nique

avoir l'intention de
danser
*s'entendre bien
*faire griller
prendre le train
*prévoir (prévoyait)
se réveiller
sortir le chien

la météo
*chaleur
clair
éclaircies
ensoleillé
légère brise
nappes de brouillard
orages
pluie légère

</td></tr>
</table>

1 Qu'est-ce que Philippe a fait? (AT2/5–6, AT3/5, AT4/5–6)

Pupils read what Philippe's account of a weekend with his friends and English penfriends. This revises the perfect and imperfect tenses. Pupils prepare an account to report back to their group, using the construction: *Au lieu d'aller/faire ..., il est allé/a fait ... et ...*

Pupils should by now be able to prepare a short report and discuss it with other pairs to see if they all agree. It should no longer be necessary for the teacher to check the answer to every exercise if the group system is working well. Any group should feel free to call on the teacher/assistant for help or to act as adjudicator in case of disagreement. Pupils should however be aware that the teacher is monitoring their progress all the time.

From time to time, groups should record and play back their discussions so that they can check that everyone is participating properly and that no one is taking over the group. Change the composition of the groups and pairs frequently if this will help.

2 a Qu'est-ce que tu as fait le week-end dernier? (AT4/4–6)

Personal speaking or writing, revising the perfect tense and using the preceding text to provide models.

Pupils just write a list of activities.

Pupils could be expected to expand their initial list into a more detailed account.

b Qu'est-ce que tu aurais préféré faire ce week-end? (AT4/4–5)

Using the model given, most pupils should be able to suggest something that they would rather have done, again using the given text as a model.

Some pupils might need to do some reading research to find out how to say what they

would rather have done. Some of the rather 'lively' teenage magazines such as *OK Podium* and *Salut!* might interest more mature pupils and encourage the development of an interest in reading French.

3 a Ecoute: Qu'est-ce qu'ils vont faire? (AT1/5–6)

Now pupils listen to Philippe and his friends before the weekend, discussing what they are planning to do with their penfriends. They note the relevant pictures. (There are some distractors amongst them.)

Answers: E, C, L, B, I, K, F, D

(1) Qu'est-ce que tu fais avec ton corres ce week-end?
(2) Je sais pas. Et toi?
(3) Aucune idée.
(1) Le mien est sportif. il fait du vélo et du skate. On pourrait faire un pique-nique ... euh ... une balade en vélo samedi après-midi.
(4) On pourrait aller dans la forêt de Chailluz.
(2) Ça dépend du temps. Et s'il pleut?
(3) S'il pleut le samedi après-midi, on pourrait aller en ville faire du shopping et manger au fast-food.
(4) S'il fait chaud, on pourrait emporter un pique-nique à la piscine le samedi après-midi.
(3) Non. Il ne fait pas encore assez chaud. Il vaut mieux faire la balade en vélo dans la forêt.
(1) Oui, et qu'est-ce qu'on fait samedi soir?
(3) Vous pourriez venir chez moi. On pourrait manger dans le jardin et puis jouer à des jeux de société.
(4) J'ai Pictionary. C'est rigolo. Je vais l'apporter.
(2) On pourrait apporter des choses à manger.
(3) Ça dépend toujours du temps.
(2) S'il pleut, on pourrait aller au cinéma.
(1) Oh non, je pense pas. Les Anglais vont trouver le film trop difficile à suivre.
(3) S'il pleut, vous pouvez venir chez moi tout de même. On mangera dans la cuisine.
(4) Qui sait? Avec la météo ... Bon, qu'est-ce qu'on prévoit?
(2) Aucune idée. Venez, on va écouter la radio.

(3) Dimanche, s'il pleut, on pourrait prendre le train et aller à Paris.
(1) Et s'il fait beau dimanche on pourrait aller au lac des Sapins et faire de la voile.
(3) Bonne idée.

b A deux: Faites-leur une liste d'activités. (AT4/3)

Pupils listen again and write a timetable of the proposed activities.

Answers:
Samedi après-midi: (beau) bike ride, picnic/(pleut) shopping, fast food
Samedi soir: (beau) barbecue, board games/(pleut) eat in kitchen, board games
Dimanche: (beau) lake, sailing/ (pleut) train to Paris

4 a Ecoute: La météo (AT1/6)
b A deux: Qu'est-ce qu'ils vont faire? (AT2/4–5)

Pupils listen to the weather forecast and decide what the friends are going to do.

Answers: On Saturday afternoon they are likely to opt for the bike ride, but some might suggest that as it has been raining they would prefer to go to town. The evening barbecue should be all right, but there should be some discussion about Sunday. Some might opt for Paris because of the early morning mist, but others might suggest a bike ride or picnic – or the proposed sailing.

Remind pupils that the forecast is not always right! (In the first exercise Philippe writes about what he actually did do – remind pupils of this.)

Les prévisions pour demain, samedi 15 juin et dimanche 16 juin.
Samedi: Pluie légère le matin, qui s'en ira l'après-midi. Belles éclaircies. La soirée sera chaude et ensoleillée, des orages se développeront pendant la nuit.

Dimanche: Nappes de brouillard au petit matin, qui se dissiperont à l'heure du repas. Après-midi clair et ensoleillé. Légère brise. Retour à la chaleur et au soleil lundi.

Verbs 10 (*Le Futur proche et le futur*) gives more examples of the use of the near future and future tenses. Pupils do not usually have much trouble with the near future, as it is similar in form to the English. They are unlikely to need to use the future tense themselves at this level, but by

now some of them should be able to recognise it when they hear it.

At this point you could use the worksheets **Au choix 86 (Ecouter C** Reinforcement) and **87 (Ecouter C** Extension) and **Au choix 88 (Parler C** Reinforcement) and **89 (Parler C** Extension); see pages 130–131 below.

Chez toi (AT4/3–4)

Pupils imagine that they have a penfriend visiting and prepare a programme for their own weekend.

Jeu de société (*Pupil's Book pages 118–119*)

Main topics and functions		commencer	une équipe

Main topics and functions

- Explaining how to play a game

Other aims

- Understanding and giving instructions

Structures

On a/jette ...

Vocabulary

avancer
battre
choisir

commencer
continuer
deviner
distribuer
montrer
passer
prendre
retourner
réussir

une carte
un crayon
un dé
une enveloppe

une équipe
un joueur
du papier
un pion
un plateau de jeu
un sablier
le suivant
le tour

*à tour de rôle
celui qui ...
**dans le sens des aiguilles d'une
  montre*

On joue au Pictionary (AT3/5)
The instructions for the game are given so that pupils who do not know it understand how to play the game, but more importantly to provide models which pupils can use to explain other games.

1 C'est quel mot? (AT4/2)
Pupils have to guess which word is represented by each sketch.

Answers: 1 une cassette vidéo, 2 un chalet, 3 des canards, 4 une lampe de poche, 5 un ours brun, 6 Médecins sans frontières, 7 des soucoupes volantes, 8 mal à la tête, 9 des sabots, 10 le brouillard, 11 un fauteuil, 12 une galaxie

They could make up some more of their own. You could also play a simple classroom version:
Prepare a list of suitable words and make separate cards with the individual words on them, so that they don't see the next word on the list.
Divide the class into groups. (It is useful to have someone to check on cheating.)
One member of each group comes out to the person with the list (who needs to be equidistant from the groups, for reasons which will soon become apparent!) and is shown the first word.
They go back to their group and draw the word. The person in their group who guesses it correctly goes to the person with the list, says the word and is shown the next word.
He/She goes back to the group and draws that word ... and so on.
The group that finishes the list first wins.
Instructions in French:
Quelqu'un (le responsable) prépare une liste de mots et la garde secrète. On divise la classe en groupes. Un joueur de chaque groupe va voir le responsable qui lui révèle le premier mot. Il revient dans son groupe et dessine le mot. Si quelqu'un devine le mot, il/elle va voir le responsable, lui dit le mot et le responsable lui révèle le mot suivant. Le premier

groupe à deviner tous les mots de la liste gagne. Parlez doucement! Il ne faut pas faire trop de bruit en jouant, de peur que les autres groupes vous entendent!

2 Ecoute: Le jeu de Cluedo. Mets les instructions dans le bon ordre. (AT1/5, AT3/5)
Pupils listen to the rules for the game of Cluedo and put them in the right order. Pupils who have seen the *Avantage 2* video should find this easy.

Pupils could try to put the instructions in order *before* listening. They should be able to choose a game (e.g. a simple card game or battleships) and explain the rules for a French penfriend.

1 On bat les cartes par groupes: assassins, lieux, armes.
2 Quelqu'un prend une carte de chaque groupe et les cache dans une enveloppe sans les montrer.
3 On bat les autres cartes et on les distribue.
4 Chacun a une liste et coche sur la liste, en secret, les cartes qu'il ou elle a.
5 On choisit un pion: Mlle Ecarlate, Colonel Moutarde, Dr Olive, etc.
6 A tour de rôle, on jette les dés et on avance.
7 Quand on arrive dans une pièce, on suggère: 'Le meurtre a été commis par ... dans ... avec ...'.
8 Si la personne à côté du joueur, dans le sens des aiguilles d'une montre, a une des cartes nommées, elle doit la lui montrer. Si elle en a plusieurs, elle doit lui en montrer seulement une. Si elle n'en a pas, la personne suivante doit lui en montrer une et ainsi de suite, jusqu'à ce qu'on ait montré une carte.
9 Le tour passe au suivant.
10 Si personne n'a les cartes nommées, le joueur a gagné et on regarde les cartes dans l'enveloppe pour vérifier.

Chez toi (AT4/2)
At home, pupils can prepare a set of pictures and themes for their partners or the class to guess.

Main topics and functions

- Revision and extension

Other aims

- Extended reading comprehension
- Extended speaking

Vocabulary

*all vocabulary receptive only

douloureux/se
l'épilateur

galère (= what a grind)
gratter comme une dingue
une guenon déguisée
le heurt
malheureux/se
mettre les voiles
il vaut mieux

s'avancer pour toute la semaine
les chromosomes
les gènes
signaler

This is an extended reading exercise. It includes another excerpt from Corinne's personal diary (the text is as she wrote it, in her own colourful language, and has not been amended, but the more difficult words are given) and an excerpt from Pascal's.

The intention in providing this type of reading material is to familiarise pupils with the language of their French contemporaries and give them a chance to develop strategies for understanding the more colloquial expressions that they are sure to meet if they talk to young French-speaking people and read their magazines.

Some pupils might be interested to discuss the girl's and boy's attitude to diary writing and say what they can deduce from the diaries about the sort of people they are and whether they would like them or not. (AT3/6–7)

Jeu d'imagination
This is a photograph of some young French people in an unusual scene. Let pupils use their imagination to give them an identity and build a story round them. (AT2/4–6, AT4/4–6)

Reinforcement and extension worksheets

 Au choix 86 (Ecouter C) (AT1/4–5, AT4/3–4)
1, 2 & 3 Completing weather maps and deducing what would be appropriate clothing in view of the weather.

La Météo
1 Ecoute et remplis les cartes.
Le temps pour aujourd'hui:
Dans le nord de la France, pluie et vent léger venant de l'ouest.
Centre: la journée sera ensoleillée.
Côte d'Azur: le temps sera très ensoleillé, tendance orageuse vers le milieu de l'après-midi.
Sur les Alpes: le temps sera chaud et sec.
Pyrénées: le temps sera également chaud, avec une tendance à la pluie dans l'après-midi.
Temps prévu pour ce soir:
Nord: le temps sera nuageux.

Centre: quelques nappes de brouillard.
Sur la Côte d'Azur: temps nuageux, nombreuses chutes de pluie, attention au risque d'inondations.
Sur les Alpes: des orages.
Pyrénées: un vent frais venant de l'ouest soufflera en soirée, amenant quelques nuages.
Prévisions pour le journée de demain:
Nord: après la disparition des brumes matinales, le temps sera chaud et ensoleillé.
Centre: temps couvert.
Côte d'Azur: temps chaud et ensoleillé.
Alpes: abondantes chutes de neige.
Pyrénées: des pluies en cours de journée.

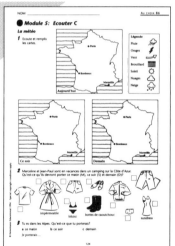

 Au choix 87 (Ecouter C) (AT1/6–7)
Deciding what to buy for a picnic for a given group of people.

On va à la piscine. C'est à toi de préparer le pique-nique.
Bon, nous sommes combien? Avec Andrew et Susan, cinq ... six. Est-ce que tu pourrais nous préparer le pique-nique demain? Nous devons aller au collège. Nous avons un contrôle de maths le matin, c'est pas intéressant pour vous, et on finit à midi. On a toujours très faim, tu sais, après le collège ... mais il faut partir tout de suite après, alors on mangera quand on arrivera à la piscine ... ou après avoir nagé un peu. Ce temps est vraiment formidable: on va avoir soif. On peut acheter des

boissons là-bas, mais c'est très cher, il vaut mieux en acheter ici au Super Choix et les emporter ...
Oui? Alors, super! Tu peux acheter du pain à la boulangerie, et le reste au Super Choix ...
Un pain pour deux personnes, alors, euh, trois pains ... Qu'est-ce qu'il nous faut d'autre? ... Jean-Paul, attention, il est végétarien – ça veut dire qu'il ne mange pas de viande, mais je crois qu'il mange du fromage, euh, ou du poisson ... et Mélissa, elle est diabétique et ne mange rien de sucré ... La viande? Oui, oui, elle mange de la viande. Ce n'est que les choses comme les biscuits, les choses sucrées. ... Oui, des fruits, bonne idée, elle mange des fruits. Oui, des pêches, quelque chose comme ça ...
Marc? Lui, il mange de tout, absolument de tout, même les restes ... Du gâteau? Ah, je pense pas. Peut-être une tarte, mais il va faire très chaud: rien qui fonde, pas de chocolat, par exemple ... Oui, pour les boissons j'ai un sac qui les conserve fraîches ... oui, on pourrait y mettre du chocolat, mais je ne pense pas, ce n'est pas grand. Il y a de la place seulement pour les boissons.
Et Susan, qu'est-ce qu'elle mange? Elle fait un régime, mais j'ai vu qu'elle a mangé du gâteau au chocolat hier soir chez Martine ... Si tu penses, de la salade, du yaourt, peut-être. Et toi? Tu manges de tout? ... Oui, comme moi, mais pas de salami, je déteste ça! Bon, je vais te laisser de l'argent et toi, tu vas t'occuper du pique-nique ... Super!

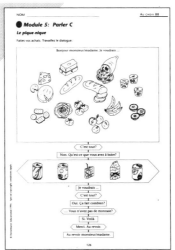

☞ **Au choix 88 (Parler C) (AT2/4)**
Á mapped dialogue to practise: buying food for a picnic.

〰 **Au choix 89 (Parler C) (AT2/5–6)**
1 Pupils record a message saying where they want to go, what they are wearing/taking and where and when they will meet.
2 & 3 Talking about the same things in the past and using pictures.

For **Au choix 90 (Lire C)** see page 119 above and for **Au choix 91 (Lire C** 〰 **)** see page 125.

Bilan

This appears on the sheet **Bilan 4** so that partners can test each other and tick off and initial items. There is a second set of boxes for the teacher to initial and space for comments.

Petite histoire (AT2/3–7, AT4/3–7)

This forms the basis of the written part of the *Contrôle* (see notes below). It can also be used as a stimulus for oral work. Ask pupils to prepare and give a short talk in either the first or the third person. This time, the pictures are from the *Avantage 2* video, and pupils can reconstruct the video story or invent their own.

Contrôle

A **Listening: Core Level**

This is on the sheet **Contrôle 5A.**

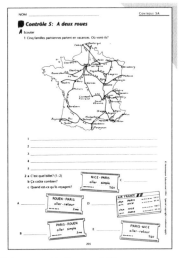

1 Pupils identify the routes on the map and find the destinations. **(AT1/4–5)**

Answers: 1 Saint-Etienne, 2 Caen, 3 Tours, 4 Grenoble, 5 Calais (10 marks)

2 Pupils listen to find the three pieces of information. Three of the tickets pictured are distractors. **(AT1/4–5)**

Answers: 1C 182F demain; 2E 1200F vendredi (2 × 3 = 6 marks)

Questions 1 and 2: Total 16 marks

1 Cinq familles parisiennes partent en vacances. Où vont-ils?

1 Bon, tu as la carte? Regarde. On va prendre l'autoroute 6 ... A6 et puis l'autoroute 36 ... A36. On devrait être chez tante Emilie en cinq heures maximum.

2 On prend l'autoroute 13 ... oui, l'A13. Il nous faudra à peu près trois heures pour arriver chez grand-mère.

3 Regarde. La ferme d'oncle Albert est là. On prend l'autoroute 10, regarde, l'A10 ... ce n'est pas loin, c'est la prochaine grande ville après Orléans.

4 On commence par l'autoroute 6, regarde ... A6. Il y a toujours beaucoup de circulation. Et puis à Lyon on prend l'autoroute 43 ... regarde, Lyon, et l'A43 ... et puis l'A48 ... autoroute 48 ... et on monte dans les Alpes. Vivent les vacances!

5 Bon, on prend l'A1 ... A1 ... et puis, euh ... l'A26

... voilà, A26. Ça va prendre, euh ... trois, quatre heures – ça dépend de la circulation, bien sûr – et il faut arriver une demi-heure avant le ferry ... Bon, il faut partir à huit heures.

2 a C'est quel billet?
b Ça coûte combien?
c Quand est-ce qu'ils voyagent?

1 – Est-ce que je peux vous aider?
– Oui. Je veux aller à Paris demain.
– Il y a un train pour Paris à 11.18h.
– C'est combien?
– Aller ou aller-retour?
– Non, aller simple.
– 182F ... Uhm, 182F, oui, c'est ça. Mais il y a un supplément sur ce train, alors ça fait ... 210F.

2 – Pour aller à Nice?
– En avion ou en train?
– Combien ça coûte?
– En avion 1950F et en train 1200F.
– Et l'avion est à quelle heure?
– Quand est-ce que vous voulez partir?
– Vendredi.
– Il y a un vol à midi.
– Il arrive quand?
– Treize heures vingt. Ou il y a un TGV direct à sept heures dix ... qui arrive à quatorze heures.
– Bon, je prends le train.
– Aller-retour?
– Oui. C'était combien?
– 1200F.

A **Listening: Extension Level**

This is on the sheet **Contrôle 5A** ⋙ .

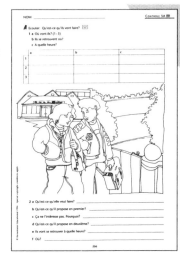

1 Pupils listen to three pairs of teenagers deciding where to go and when and where to meet. **(AT1/5)**

Answers:
1a au cinéma; b place de la Cathédrale; c 22h
2a jouer au tennis; b à l'arrêt de bus; c 6h15
3a sortir le chien/devoirs; b chez elle; c tout de suite
(3 × 3 marks)
Total 9 marks

2 Pupils listen to the dialogue and find the six pieces of information. **(AT1/6)**

Answers:
a Rester à la maison. (2)
b D'aller à la piscine. (2)
c L'eau est toujours trop froide. (2)
d D'aller au lac pour faire de la planche. (2)

e A une heure vingt. (2)
f A l'arrêt de bus. (2)

Total 12 marks

Qu'est-ce qu'ils vont faire?

1 a Où vont-ils?
b Ils se retrouvent où?
c A quelle heure?

1 – Qu'est-ce qu'on fait ce soir?
– Oh, on pourrait aller au cinéma.
– Ah oui, voir 'Les Visiteurs'.
– Oui, d'accord. On se retrouve où? Place de la Cathédrale?
– Oui, oui. A quelle heure?
– Oh, vers 22 heures.
– Ça marche!

2 – Je vais à la piscine. Tu viens?
– Non. Je vais jouer au tennis.
– Oh, avec qui?
– Beh, avec Martin et Ludo. Il nous faut un quatrième joueur.
– Bon, je viens. A quelle heure c'est?
– On se retrouve à l'arrêt de bus à six heures et quart.
– OK. Salut!

3 – Tu sors ce soir?
– Quoi faire?
– Beh, rien de spécial. On pourrait aller chez Danielle?
– Oh, j'ai trop de devoirs.
– Moi aussi.
– Tu veux que je t'aide?
– Oui, mais je dois sortir le chien.
– Je t'accompagne ... si tu veux.
– Oui, bien sûr, je voudrais bien.
– Alors, je viens te chercher dès que j'ai goûté.
– Tu peux goûter chez moi. Mes parents ne sont pas là.
– OK. Je mets mon vélo dans le garage et puis je viens tout de suite.

2 Qu'est-ce qu'elle veut faire?
– Qu'est-ce qu'on va faire demain?
– On pourrait rester à la maison.
– Paresseuse! Il va faire chaud. On pourrait aller à la piscine.
– L'eau est toujours trop froide.
– Ben, on pourrait aller au lac.
– Quoi faire?
– De la planche.
– Tu plaisantes! Je n'en ai jamais fait.
– Tu pourrais apprendre.
– Pourquoi pas? OK, à quelle heure?
– Il y a un bus à une heure vingt.
– Et ... on se retrouve où?
– A l'arrêt de bus!

B Reading: Core Level
This is on the sheet **Contrôle 5B** and consists of six newspaper reports about accidents.

1 Pupils match the texts with the photos. (AT3/5)

Answers: 1E; 2A; 3F; 4B; 5C; 6D (6 marks)

2 & 3 Pupils answer the true and false questions. (AT3/5)
They can then go on to correct the false statements. (AT4/3–4)

Answers: 1F; 2F; 3V; 4F; 5F; 6F (6 marks)

L'accident de Paul a eu lieu le soir, alors qu'il rentrait du collège. Sébastien a été heurté par une bicyclette. Rachelle ne fait pas de moto. Nathalie ne s'est pas cassé une jambe./Nathalie n'a pas été sérieusement blessée. Murielle ne va pas au collège à pied. Elle prend le car scolaire.

Total 12 marks

B Reading: Extension Level
This is on the sheet **Contrôle 5B** and consists of texts containing opinions on plans to build a new leisure centre.

1 Pupils identify whether each text is for or against.

Answers: pour A,B,D; contre C,E,F (6 marks)

2 Pupils write down some of the arguments. (4 × 2 = 8 marks)

3 Pupils write down their own views. (AT4/5–7) (10 marks)

Questions 1 & 2 (AT3/6)
Total 14 marks

C Writing: Core and Extension Levels
The stimulus for the writing is the *Petite histoire* on page 123 of the Pupil's Book. A range of activities can be set.

1 **Ecris un texte pour chaque photo. (AT4/3–4)**
Pupils write a caption for each photo.

2 **Jeux d'imagination: (AT4/4–7)**
a **Tu es Delphine ou Eric. Ecris ton journal.**
b **Tu es Delphine ou Eric. Raconte ce que Eric ou Delphine a fait.**

Example: Il/Elle m'a énervé(e), parce que ... C'était bien, parce que ...

In activity 2 pupils should include past/future tenses for level 5 and above.

Module 6: A vos plumes! *(Pupil's Book page 124)*

The whole of Module 6 is optional. The ▶ symbols here indicate a possible 'fast route' through the module.

Unité	Main topics and functions	Pos Part I	Pos Part II	Skills	Grammar
On va faire un journal (pp.124-125) ▶	Looking at headlines and the sort of items that are in a newspaper	4a, 4d	A	L S R W	
Au travail (pp.126-127)	Talking about the layout of a newspaper	1b, 1e	A	S R W Group discussion in the target language	
Qu'est-ce que c'est, l'ordinateur? (pp.128-129) ▶	Talking about using the computer	2c, 2n	A	L S R W	*Est-ce que je peux ...?* *Je n'ai pas de ...* *Qui a un/une ...?*
Récréation (pp.130-131)	Revision	1g	A	R Reading for interest (cartoon story)	
Le journal de la classe (pp.132-133)	Planning a class newspaper	2b, 2m	A, B	L S R W Group discussion in the target language	*Il/Elle est responsable de ...*
On fait une interview (pp.134-135) ▶	Preparing to interview someone	2o, 4e	B	L S R W	Use of *tu* and *vu* forms Question forms
Les petites annonces (pp.136-137)	Understanding small ads	1k, 4c	B	L S R W Writing a small ad	
Récréation (pp.138-139)	Revision	1g		R Independent reading for interest (magazine item)	
Pour mieux connaître la France (pp.140-141) ▶	Geography of France	1j, 4c	C	L S R W	*plus/moins/aussi ... que* *le plus ... de* *autant de* *plus/moins*
La conquête de l'espace (pp.142-143)	Space exploration	3d, 3e	C, E	L S R W Developing awareness of language: deducing meaning by cognates and context	
Je bouquine (pp.144-145)	Revision and extension	1g, 4a	B	R Reading for interest (literary extract)	

Project: Making a newspaper

The main focus in this half term is on making a newspaper. It is suggested that pupils make both an individual newspaper or magazine and a joint group or class one.

Some of the material already produced during the year can be incorporated into the paper. This has usually been indicated in the teaching notes for the earlier modules. Some pieces of work might be ready for inclusion as they are, but others could provide a basis for rewriting.

The newspapers should be retained or copies made for the pupil's personal files as evidence of the level of writing attained and of different styles of writing.

Some pupils should be able to work together to make and record a 'radio' or 'TV' programme as well. Pupils should have plenty of work to do and should be able to access the materials they need independently. The most able pupils might video the class at work on this project from time to time and make a report on it.

For the project you are likely to need:
• reference materials: dictionaries, reference books and magazines; plenty of old French magazines and newspapers
• writing materials: paper, pens, felt tips, clipboards, letter paper, envelopes, stamps, access to a computer (DTP programme), diskettes
• recording equipment: cassette recorders, batteries, cassettes, microphone, camera, film, processing facilities or costs, video recorder and cassette, photocopying

❶ On va faire un journal *(Pupil's Book pages 124–125)*

Main topics and functions

- Looking at headlines and the sort of items that are in a newspaper

Vocabulary

*la catégorie
*les actualités internationales/nationales/régionales
*les animaux
*les articles
*les B.D.
*les blagues
*le cinéma
*la circulation
*les conseils sur la santé
*la cuisine
*l'éducation
*les énigmes
*l'entretien de son vélo
*l'environnement
*l'état des routes

*les faits divers
*les histoires
*l'horoscope
l'informatique
les jeux
la météo
la musique
les petites annonces
le programme de la télé
la protection de
   l'environnement
la pub
les reportages
les sciences
le sport

*le matériel
un appareil photo
un atlas
un carnet
une cassette

un crayon
un dictionnaire
une disquette
des enveloppes
*une liste de questions
*des livres de référence
des magazines
un magnéto(phone)
un micro(phone)
des pellicules
des piles
un sac
un stylo-bille
des timbres

FOR EXERCISE **1b** PUPILS WILL NEED ACCESS TO OLD NEWSPAPERS (FRENCH OR ENGLISH).

❶ a A deux: Trouvez un exemple pour chaque catégorie. (AT3/5)

Reading comprehension. Pupils read through the headlines and find an example for each category.

Answers: 1D,E,L,M,N, 2C,G,I, 3B, 4A,K, 5F, 6H,J

Support worksheet 30 gives English equivalents of the French newspaper items to match up. (AT3/4)

Answers: 1N, 2D, 3F, 4L, 5A, 6J, 7C, 8E, 9H, 10K, 11G, 12M, 13I

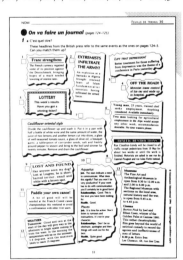

b A deux: Choisissez un magazine ou un journal (français ou anglais). Trouvez un exemple pour chaque catégorie.

Pupils have to find further examples by looking through newspapers themselves. The papers can be French or English ones. The aim is to make them aware of the sort of items that are in a newspaper.

❷ Ecoute. (AT1/5)

a Qu'est-ce qu'ils vont faire?
b De quoi ont-ils besoin?

French teenagers discuss what they each want to contribute to their paper and mention various items they will need. Pupils make notes.

1 – Qu'est-ce que tu vas faire, Emeline?
  – Je vais faire un reportage sur les baleines. L'année dernière je suis allée en Norvège avec mes parents et j'ai vu des baleines. J'ai besoin de magazines sur la nature et de livres de référence. Il me faut du papier, des crayons et puis je vais travailler sur l'ordinateur.

2 – Et toi, Christine?
  – Je vais faire un horoscope. J'ai besoin de papier, d'un stylo-bille, d'un petit dico et de vieux magazines pour me donner des idées.
  – Bien. Qui va dessiner les signes?
  – Oh, je vais les faire moi-même.

3 – Qu'est-ce que tu nous proposes, Florian?
  – Je vais faire la météo. J'ai besoin de vieux journaux, de papier et de feutres. Je vais photocopier plusieurs cartes et dessiner des légendes.
  – Oui, ça va.

4 – Jean-Claude?
  – Je vais faire un sondage. Je vais interviewer les gens dans la rue. J'aurai besoin d'un magnétophone et d'un micro, d'un carnet et d'un stylo.
  – Bonne idée. Sur quel sujet?
  – Euh ... s'ils ... euh ... comment ils trouvent le magasin du coin. S'ils font leurs achats plutôt à l'hypermarché ou s'ils vont toujours au magasin du coin.
  – Quelles questions est-ce que tu vas poser?

- Euh ... Voulez-vous que le magasin du coin reste ouvert? et: Combien y dépensez-vous par semaine?
- OK.
5 – Luc, qu'est-ce que tu vas faire? Nous n'avons toujours personne pour faire les infos.
- Pas moi. Je vais écrire quelque chose sur la pêche. J'ai besoin de livres sur ce sujet, de papier etcétéra et d'un appareil de photo avec des pellicules. Je vais faire des photos pour le reportage.
- Et si tu n'attrapes pas de poissons?
- Beh. Je vais en acheter un!
- Tricheur!
6 – Et toi, Albert? Je devine ... euh ... le sport?
- Le foot. Je vais écrire un reportage sur le match de dimanche. J'ai besoin d'un appareil photo et je dois faire des recherches. J'ai besoin de téléphoner au journal pour avoir des informations et je dois écrire au club pour en savoir plus sur les équipes. Il me faut du papier à écrire et des enveloppes.
7 – Nathalie? La mode?
- J'avais l'intention de dessiner des blagues et des devinettes. Je vais chercher des idées dans de vieux journaux ... mais, euh ... si tu veux, je pourrais faire quelque chose au sujet de la mode.
- Les deux? Euh ... Non, fais la mode. Chacun pourra écrire une blague ou une devinette. Tu peux chercher des idées dans des magazines.
8 – Simone, qu'est-ce que tu proposes?
- Je vais faire des recherches sur le passé. Je vais à la maison de retraite pour parler aux personnes âgées.
- Ça c'est une bonne idée!
- De quoi ai-je besoin?

3 A deux: Préparez votre matériel. Ecrivez une liste de ce dont vous avez besoin. (AT4/2–3)

Pupils have to read the diary entries and list what they would need for each assignment, using the vocabulary box for ideas.

Support worksheet 31 has items of equipment to label and sentences to complete. (AT3/1, AT4/2)

Answers (1): 1 bâton de colle, 2 magazine, 3 règle, 4 dico, 5 feutre, 6 appareil-photo, 7 sac, 8 carnet, 9 magnéto, 10 atlas, 11 cassette, 12 caméra vidéo, 13 micro, 14 clipboard, 15 ciseaux, 16 crayon, 17 pellicule, 18 enveloppe

Chez toi (AT4/2–3)

Pupils draw or write a picture or word puzzle for their paper. They might need reminding to write the answers!

❷ *Au travail* *(Pupil's Book pages 126–127)*

Main topics and functions

- Talking about the layout of a newspaper

Other aims

- Group discussion in the target language

Vocabulary

un article
la B.D.
*la brève
*les conseils
*une enquête
une illustration

un jeu
la météo
le nom
*l'ours (= credits)
*la page
*un sujet
*un titre (= headline)
*la une (= page one)

important(e)

je pourrais faire/écrire …
je voudrais écrire …

---

1 **A deux: Lisez la maquette et la B.D. et décidez ce que vous allez mettre dans votre journal. (AT3/5)**

Pupils read the instructions and make sure they understand everything. If there is a word they don't know, they should write it on the board and anyone who knows it should write the English beside it.

☞ **Support worksheets 32–34** are flagged at this point in the Pupil's Book, but may be used at any convenient point. They are resources to help pupils with the production of their own newspapers. **Worksheet 32** has a larger version of the page one layout for pupils to use (it could be blown up to A3 size); on **Worksheet 33** there are suggestions for horoscopes (AT4/3–5); and **Worksheet 34** gives key phrases for writing a weather forecast. (AT4/4–6)

2 **Travaillez en groupe: Faites une maquette de votre journal de classe ou de groupe. (AT4/2–3)**

They then go on to design their own layout for a class newspaper. Let them do this in pairs or small groups at first and then explain their layout to another pair or small group, so that they get plenty of chance to talk and check each other's language.

They should try to carry out at least some of the discussion in the target language, using the model given. If they don't know how to say something they want to say, they should write it down in English and look it up or ask for assistance.

Let them record some of their discussions, on video if possible, play them back and discuss them.

> *Discutez: Qui a trop parlé? Qui n'a rien dit? Qui a besoin de se forcer encore un peu?*
> *Comment est-ce qu'on peut faire parler tout le monde?*

Any group which has finished could then start work on the articles for their paper.

Chez toi (AT4/2–3)

For homework, pupils make a layout for their own individual paper.

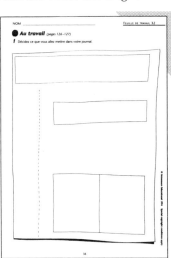

❸ Qu'est-ce que c'est, l'ordinateur? *(Pupil's Book pages 128–129)*

Main topics and functions

- Talking about using the computer

Structures

Est-ce que je peux ...?
Je n'ai pas de ...
Qui a un/une ...?
Comment ça s'écrit?
Comment dit-on ...?
Je ne comprends pas

Vocabulary

*all vocabulary receptive only

contient   *le moniteur (vidéo)*
imprime   *la puce*
montre   *la souris*
permet de   *le téléviseur*
ressemble à   *le traitement de textes*
                   l'unité de contrôle
le clavier
l'écran   *s'afficher*
l'imprimante   *archiver*
le lecteur   *charger*
le logiciel   *enregistrer*
                   imprimer

---

1 Quelle partie de l'ordinateur ...? (AT3/3)

Pupils read and match the names of parts of the computer to the picture, and to the definitions.

Answers: 1B l'unité de contrôle,
2E l'imprimante, 3C le lecteur, 4D le clavier,
5A l'écran ou moniteur vidéo, 6F la souris

2 a Ecoute: les infos (AT1/7)

Six news items to listen to for interest, and as a model for pupils' own writing.

Pluie et inondations partout en France!
La Garonne est sortie de son lit suite aux pluies torrentielles qui se sont abattues sur la région depuis deux semaines. La commune de Saint-Gaudens est totalement inondée et a été déclarée zone sinistrée. On ne déplore aucune victime à cette heure, mais les dégâts matériels sont considérables. Selon la météo, malheureusement, aucune amélioration du temps n'est annoncée pour les jours qui viennent.

Accident au match de rugby!
Le match de rugby qui opposait Toulon à Tarbes hier après-midi a dû être interrompu à la suite de l'effondrement de la tribune ouest où étaient massés quatre cents spectateurs. Il y a eu de très nombreux blessés, dont certains sont dans un état grave. On pense à la rupture d'un élément de la structure en acier.

Manifestations contre le racisme en Allemagne!
En Allemagne, une manifestation a réuni ce matin cent mille personnes venues dénoncer les attentats racistes perpétrés ces derniers mois contre les foyers d'immigrés. Heureusement, la foule s'est dispersée sans incident.

Accident de car sur la route de la Mecque!
Un car de musulmans qui se rendait à la Mecque s'est renversé hier sur une route montagneuse du Népal. Le véhicule, dont les freins étaient défectueux, transportait quatre-vingts hommes. La moitié au moins aurait trouvé la mort dans cet accident.

En Italie, la Mafia pose une bombe dans un musée!
A Florence, la Mafia a fait exploser une bombe dans un musée. Il y a six morts et de nombreux blessés. Plusieurs oeuvres de très grands maîtres ont été détruites par la déflagration. C'est la première fois que la Mafia s'attaque à ce genre d'édifice.

Prise d'otages dans une école maternelle!
Un homme masqué et armé s'est introduit dans l'école maternelle de Neuilly, ce matin à l'ouverture des portes, et a pris en otage une classe entière d'enfants âgés de quatre ans, ainsi que leur institutrice. L'homme réclame une rançon de cent millions de francs et menace de faire sauter l'école avec de la dynamite si son désir n'est pas exaucé avant midi.

b Ecris un reportage. (AT4/4–7)

Pupils now write their own report, taking note of the advice given to write it in rough first, use the present or perfect tense, keep the sentences short and choose the title afterwards.

Chez toi (AT4/4–7)

Pupils develop their own news item in draft form, ready to put on the computer.

● Récréation *(Pupil's Book pages 130–131)* (AT3/5)

A cartoon story for extended reading comprehension. The story can be retold (*Chez toi* Unit 4) or adapted.

④ *Le journal de la classe* (Pupil's Book pages 132–133)

Main topics and functions

- Planning a class newspaper

Other aims

- Group discussion in the target language

Structures

Il/Elle est responsable de ...

Vocabulary

*une équipe de rédaction
*un illustrateur
*un journaliste
*un maquettiste
*un rédacteur
*un rédacteur en chef
*le responsable

les articles
les dessins

*les enquêtes
*les fautes
*les images
*les infos
*les interviews
*l'orthographe
*les petites annonces
*les photos
*la pub
*les reportages
*la section

choisir
corriger
créer
*faire les enquêtes
*(re)lire
*présider aux réunions

---

1 **Pour le journal de la classe il faut choisir ...** (AT2/4–5, AT3/5)

For the class newspaper pupils will have to decide (A) who is going to take on the various responsibilities and what everyone else is going to do (as everyone must contribute something), (B) how it is going to be produced and (C) a publication date and deadlines for the articles etc.

2 **Ecoute.** (AT1/6)
a **Qui va faire quoi?**
b **Comment est-ce qu'ils vont faire la publication?**
c **Ils ont choisi quelle date?**

Pupils can listen to the French teenagers deciding how to proceed and note who is going to do what and how and when the paper is going to be produced.

(1) Bon, on va faire un journal. Qui va être rédacteur en chef? Il faut quelqu'un qui sache prendre des décisions. Jules? Non? ... Agnès?
(2) Ouais.
(1) Pour les illustrations ... Qui dessine bien? Sandra?
(3) Non. J'aurais préféré faire la maquette.
(1) Bon. Sandra, tu fais la maquette. Qui voudrait être responsable des dessins? Toi, Paul?
(4) OK. Les dessins. Je propose Daniel pour la pub. Ça va?

(1) Oui, mais qui va faire les infos? On a toujours besoin d'un rédacteur des infos ... Michel?
(5) Qu'est-ce qu'il fait?
(1) Il décide quelles infos mettre dans le journal.
(5) Oui, je fais ça. Qu'est-ce qu'il nous faut en plus?
(1) Il nous faut un rédacteur des reportages.
(6) Moi, je fais ça.
(1) Donc, Magali.
(7) Moi, je n'ai rien.
(1) Jules, t'es un journaliste, toi.
(7) OK, d'accord.
(6) Je vais taper les reportages sur l'ordinateur.
(1) Bon, oui, on va les saisir sur l'ordinateur, et puis on pourra le sortir sur l'imprimante laser.
(4) Sauf les dessins.
(1) On pourra peut-être les scannériser?
(4) D'accord.
(2) Et quelle sera la date de publication? Disons le 30 juin?
(5) Non, c'est trop tôt. On n'aura pas le temps de faire les photocopies. Le 9 juillet?
(1) D'accord, mettons le 9 juillet. Au travail!

Chez toi (AT4/4–7)

Pupils have to continue the retelling of the story on pages 130–1 (or they could make up a short story of their own).

On fait une interview *(Pupil's Book pages 134–135)*

Main topics and functions

- Preparing to interview someone

Structures

- Use of *tu* and *vous* forms
- Question forms (revision):
  C'est qui?
  Comment ...?
  Est-ce que ...?
  Où ...?
  Qu'est-ce que ...?
  Quel(le) est ...?
  Qui est ...?

Vocabulary

adolescence	*poids*
âge	*prénom*
animal	*rêves*
boisson	*taille*
chanteur/chanteuse	
cheveux	*né(e)*
comédien(ne)	*préféré(e)*
disques	
domicile	*adorer*
émission	*détester*
enfance	*enregistrer*
famille	*noter*
films	*poser/préparer des*
loisirs	*questions*
nom	*prendre des photos*
	rendre plus intéressant

---

1 a Complète les huit questions que l'interviewer a posées à Hélène. (AT4/3–4)
First pupils have to complete some of the questions that were used in the interview with Hélène and work out what the rest of the questions were.

b Tu vas interviewer un(e) partenaire et un(e) adulte. Prépare les questions pour remplir cette fiche. (AT4/3–4)
Now they list the questions they would need to ask to enable them to fill in the form, in both the *tu* and *vous* forms.

Word patterns 9 and **10** may be used here; see page 123 above.

c Ecoute l'interview et écris un reportage sur Jonny Lebeau. (AT1/5–6, AT4/5–7)
Pupils listen to the interview and have to fill in the same form about Jonny Lebeau.

– Bonjour Jonny. C'est vrai que votre anniversaire est en août?
– Oui, c'est vrai.
– Et vous aurez quel âge?
– Vingt-deux ans.
– Vous habitez à Paris?
– Oui, pas loin, à Versailles dans la banlieue parisienne.
– Et vous habitez toujours chez vos parents?
– Oui. J'ai un appartement à New York, mais quand je suis en France, j'habite chez mes parents.
– Vous avez une petite amie?
– Oui, elle s'appelle Chantal. Mais elle est restée en Amérique.
– Et vous faites beaucoup de sport?

– Non, pas tellement. On voyage beaucoup, on travaille beaucoup ... il ne nous reste pas beaucoup de temps libre, mais nous aimons aller au cinéma et lire.
– Qui est votre chanteur préféré?
– Moi-même, bien sûr.
– Et votre chanteuse préférée?
– Vanessa Paradis.
– Qu'est-ce que vous aimez regarder à la télé?
– Je ne regarde presque pas la télé ... un peu les infos, mais c'est tout.
– Vous avez un chat, je crois?
– Oui, deux chats, mais ils sont à New York. J'aime les chiens. On cherche une maison à la campagne, et quand nous en aurons trouvé une on aura des chiens.
– Quelle sorte de chien?
– Je préfère les chiens-loups, mais Chantal préfère les setters. Alors, il va nous en falloir deux de chaque sorte.
– Et qu'est-ce que vous aimez le plus en Amérique?
– Surtout la liberté. On peut faire ce qu'on veut. Et j'aime la nourriture. On mange très bien à New York et on peut manger à toute heure du jour ou de la nuit, et j'adore le Coca. Je ne bois pas d'alcool.
– Et qu'est-ce que vous n'aimez pas?
– La criminalité dans les grandes villes.
– Merci, et bonne chance pour votre nouveau disque.

2 A deux: Jeu d'imagination. Prépare un résumé oralement ou par écrit. (AT2/4–7, AT4/4–7)
Using their imagination, pupils make up a personality for the boy in the picture.

Chez toi (AT2/4–7, AT4/4–7)
For homework they do the same for the girl in the next picture.

6 *Les petites annonces* (Pupil's Book pages 136–137)

Main topics and functions

- Understanding small ads

Other aims

- Writing a small ad

Vocabulary

Je cherche ...
Je collectionne ...
Je recherche ...
Qui s'intéresse à ...?
Qui veut m'écrire?
Si vous avez ...

la boîte aux lettres
les cartes postales
des correspondants
de la documentation/des documents
E-Mail
les ordinateurs
une petite annonce

des photos
des pin's
des posters
*le rap
*le reggae
*le surf des neiges

amateur de
fana de
rigolo
super sympa
vaniteux/se

en contrepartie

*correspondre avec
*se débarrasser de
*déborder
*s'éclater (= to have fun)
envoyer
jeter
vendre

---

1 a Qui est-ce qui ...? (AT3/5)

Pupils read the small ads to find out who is being referred to.

Answers: 1F, 2A, 3H, 4B,D,G, 6L, 7E, 8B, 9C, 10D, 11I, 12J,L

b Ecoute: Ils vont écrire à qui? (1–10) (AT1/5–6)

Now they listen to find out who the speakers are going to write to.

Answers: 1E, 2L, 3C, 4J, 5B, 6A, 7F, 8G, 9K, 10I

1 – Tu sais Gina, il y a quelqu'un ici qui collectionne les cartes postales comme toi!

2 – T'as vu? Il y a ce garçon qui se dit beau et qui aime le rap. Je vais lui écrire.

3 – Tiens! Je t'ai trouvé un corres. Il y a quelqu'un qui aime N.K.O.T.B.

4 – Il n'y a jamais quelqu'un de sportif – c'est toujours de la musique pop ou du rock ou du reggae ou n'importe quoi.
  – Si, il y a quelqu'un ici qui aime le sport.

5 – J'ai besoin de pin's pour l'anniversaire de mon petit frère. Qui peut m'aider? Est-ce qu'il y a quelqu'un qui offre des pin's?
  – Oui, si tu as des posters de David Bowie pour offrir en échange!
  – Tu plaisantes!

6 – Je dois ranger ma chambre et ma mère me dit de jeter tous mes posters.
  – Est-ce que tu en as de Michael Jackson?
  – Oui, plusieurs.
  – Bon. Il y en a quelqu'un ici qui veut tout sur lui.

7 – J'ai dû ranger ma chambre. J'ai besoin de nouveaux posters. Est-ce qu'il y a quelqu'un qui en offre?

8 – J'ai trop de pin's, il me faut les jeter.
  – Ne les jette pas, envoie-les plutôt à cette adresse-ci. Regarde, il va peut-être même te payer!

9 – Qu'est-ce que tu lis là?
  – Les petites annonces.
  – Je ne m'intéresse pas à tout ça. C'est stupide. Si je dois écrire à quelqu'un, j'utilise mon ordinateur.
  – Mais il y a quelqu'un ici qui veut correspondre par E-Mail.
  – Pas vrai? Fais voir!

10 – Je n'aime pas avoir un corres. Je n'aime pas écrire.
  – Mais t'as vu cette photo?
  – Uhm, pas mal, mais est-ce qu'elle s'intéresse à la musique?
  – Oui. Elle aime la musique reggae et elle habite pas loin d'ici.
  – On pourrait lui donner un coup de téléphone?
  – Tu penses!
  – Si, pourquoi pas? On va chercher les coordonnées par Minitel. Viens!

2 A deux: Ecrivez et enregistrez cinq petites annonces. (AT2/4–5, AT4/4–5)

Pupils write or record some small ads for inclusion in their own newspapers or their 'radio' or 'TV' broadcasts.

Chez toi (AT4/4–6)

For homework they are asked to write a reply to one of the small ads on the page.

 **Récréation** *(Pupil's Book pages 138–139)* **(AT3/5–6)**

Mastermind
This is a general knowledge quiz providing gist reading for interest. Most pupils will be able to work out the meaning of the new words and expressions from recognition of cognates and the context, but dictionaries and reference books should be made available. Questions 15 and 16 involve gist reading longer, more difficult texts. The answers are given on the page.

After doing the quiz, some pupils might like to make up some similar questions, using the existing ones as models, and then organise a Mastermind-style competition in the class.

 7 Pour mieux connaître la France *(Pupil's Book pages 140–141)*

Main topics and functions

• Geography of France

Structures

plus/moins/aussi ... que
le plus ... de
autant de

Vocabulary

un hexagone
une frontière maritime/terrestre

l'Allemagne
les Alpes
l'Atlantique
la Belgique
la Dordogne
l'Espagne
la France
*la Garonne
l'Italie

*le Jura
*la Loire
le Luxembourg
la Manche
*le Massif Central
la mer Méditerranée
les Pyrénées
*le Rhône
la Seine
la Suisse
*les Vosges

*l'agglomération
*la capitale
*les habitants
*un kilomètre carré
*la population
*la superficie

grand(e)
haut(e)
long(ue)

---

1 a Trouve la bonne légende. (AT3/3)
Pupils have to find out which town is which and identify the rivers and mountain ranges.

 Support worksheet 35 has a map of France which students can label or use for further work on French geography.

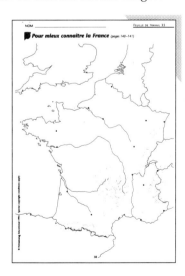

b Ecoute et vérifie. (AT1/3)
They listen to check their answers.

– Les villes – on va dans le sens des aiguilles d'une montre:
  On commence dans le nord avec:
– A Lille, B Nancy, C Strasbourg, D Dijon, E Chamonix, F Lyon, G Grenoble, H Nice, I Marseille, J Toulouse, K Bordeaux, L Nantes, M Rennes, N Rouen et O Paris.
– Et les rivières?
– a la Seine, b le Rhône, c la Garonne, d la Dordogne et e la Loire.
– Et les montagnes?
– f les Vosges, g le Jura, h les Alpes, i les Pyrénées, j le Massif Central.
– C'est tout?
– Oui, c'est tout!

2 A deux: Testez-vous! Vrai ou faux? (AT3/3)
These are general knowledge questions and pupils may have to do some research.

Answers: 1F, 2V, 3F (La Loire est le fleuve le plus long de France), 4F (Le fleuve Severn est le fleuve le plus long d'Angleterre), 5V, 6F, 7V, 8V, 9V, 10V

Chez toi (AT4/2–3)
It is suggested that pupils write a puzzle or quiz about France for their newspaper or magazine.

La conquête de l'espace *(Pupil's Book pages 142–143)*

Main topics and functions

- Space exploration

Other aims

- Developing awareness of language: deducing meaning by cognates and context

Vocabulary

*un astronaute
*un avion-fusée
*la conquête de l'espace
*un engin spatial
*l'espace
*un être vivant
*une fusée
 la lune
*une navette spatiale
*un satellite (artificiel)
*un signal/des signaux
*le sol lunaire
*une station spatiale

 la terre
*un vaisseau (pl. -x) spatial
 la vitesse

 arriver
*atterrir
*débuter
*décoller
*emmener
 envoyer
*lancer
*se promener
*récupérer
*repartir
*tourner autour de

*un astéroïde
*l'art
*un astre
*l'astrologie
*l'astronomie
*la chaleur

*un corps céleste
 (lumineux)
*le destin
*l'étude
*un fragment minéral
*un instrument optique
*la lumière
*un météore
*un(e) météorite
*la météorologie
*le monde
*une planète
*la science
*le soleil
*le système solaire
*un télescope
*le temps

*prévoir

1 a Mets les événements dans l'ordre chronologique. (AT3/6)

This is a list of events in the history of space exploration. Pupils have to read them and guess in which order they occurred.

b Ecoute et vérifie. (AT1/6)

They listen to find out the correct order.

1 La conquête de l'espace a débuté avec la construction des fusées: Spoutnik 1 en 1957. Elle a envoyé des signaux vers la terre pendant 21 jours, puis a brûlé.
2 Spoutnik 2, le 3 novembre 1957, a emmené le premier être vivant dans l'espace. C'était une chienne qui s'appelait Laïka.
3 En 1959 l'URSS a lancé la première sonde Luna I vers la lune.
4 En 1961 le premier homme est allé dans l'espace à bord du vaisseau Vostok 1. Il s'appelait Youri Gagarine. Il était russe.
5 En 1965 le premier homme est sorti de son vaisseau spatial et s'est promené dans l'espace.
6 En 1966 l'engin spatial Luna s'est posé sur le sol lunaire et a envoyé des images vers la terre.
7 En 1969 le premier homme a marché sur la lune. Il s'appelait Neil Armstrong. Il était américain.
8 En 1971 l'URSS a construit la station spatiale Saliout. Les astronautes sont arrivés et repartis à bord de petits vaisseaux (Soyouz).
9 En 1981 les Etats-Unis ont lancé la première navette Columbia dans l'espace.
10 En 1986 la navette spatiale Challenger a explosé en plein vol. Les sept astronautes, dont deux femmes, ont péri dans l'explosion.

c C'était à quelle date? (AT1/6)

Finally, they listen again and note down the dates (see script above).

2 Trouve les mots. C'est ... (AT3/3–4)

A general knowledge quiz on astronomy and related subjects.

Answers: 1 la terre, 2 le soleil, C une planète, D une lune, E un astéroïde, 6 un téléscope, 7 un astronaute, 8 un météore, 9 un(e) météorite, 10 l'astronomie, 11 la météorologie, 12 l'astrologie

Chez toi

Homework is research on the planets in the solar system.

Answers: 1 Mercure, 2 Vénus, 3 Terre, 4 Mars, 5 Jupiter, 6 Saturne, 7 Uranus, 8 Neptune, 9 Pluton

9 *Je bouquine* *(Pupil's Book pages 144–145)* **(AT3/7)**

Le Petit Prince
The text is a short extract from this famous
children's book, with brief biographical details of
the author, Antoine de Saint-Exupéry. It is hoped
that this will interest pupils in reading the book
for themselves.

Classroom language

Discussing performance

Continue!
Excellent!
Satisfaisant.

Bonne participation	en groupe
Doit faire un effort	au travail de groupe
	à l'oral
	à l'écoute
	à la lecture
	à l'écrit

Manque	d'attention
	de concentration
	d'écoute
	de maturité
	d'intérêt
	d'organisation dans ton travail
	de participation à l'oral
	d'assurance

Tu	as du mal à organiser ton travail.
	es trop désordonné(e).
	dois t'impliquer davantage.
	as fait des efforts remarquables à tous points de vue.
	ne dois pas relâcher tes efforts tant à l'oral qu'à l'écrit.
	ne dois pas te reposer sur tes lauriers.
	es trop agité(e) et dispersé(e).
	travailles mieux individuellement qu'en groupe.
	dois faire plus d'efforts et apprendre à travailler en groupe.
	dois apprendre à participer – écouter les autres et contribuer au travail collectif.

Au choix (reinforcement and extension worksheets)

The notes for the *Au choix* worksheets which are integrated into the teaching notes are also repeated here in one section for ease of reference.

For each cycle of three units in Avantage 3, the following differentiated worksheets are provided:

Listening with reading or writing:
Reinforcement worksheet **Ecouter A, B** or **C**
Extension worksheet **Ecouter A, B** or **C** (⚏)

Reading/writing:
Reinforcement worksheet **Lecture A, B** or **C**
Extension worksheet **Lecture A, B** or **C** (⚏)

Speaking:
Reinforcement worksheet **Parler A, B** or **C**
Extension worksheet **Parler A, B** or **C** (⚏)

The listening material is supplied on a separate tape for easy access and should be copied so that several pupils can use it at the same time.

The worksheets have been mapped against National Curriculum levels should you wish to use any of them for assessment purposes.

Module 1

Au choix 2 (Ecouter A)
1 Pupils complete written descriptions of a family. (AT1/4)
2 Imaginative writing based on a picture. (AT4/3–4)

1 Qui est-ce?
A – Voici ma mère.
 – Elle est jolie. Comment elle s'appelle?
 – Véronique.
 – Comment ça s'écrit?
 – V E R O N I Q U E.
 – Qu'est-ce qu'elle fait?
 – Elle travaille à mi-temps ... dans la boulangerie du coin.
B – Et ça c'est ton père?
 – Non, ça c'est mon frère aîné ... euh, enfin, mon demi-frère, ... il s'appelle Maurice.
 – M A U R I C E?
 – Oui, c'est ça. Il a vingt-deux ans .... Il est électricien .... euh ... Il répare les télés.
C – Ça, c'est mon père avec les lunettes.
 – Il s'appelle comment?
 – Georges.
 – G E O R G E S?
 – Oui, c'est ça.
 – Qu'est-ce qu'il fait?
 – Il est chauffeur de camion.
D – Ça, c'est mon frère, Frédéric.
 – F R E D E R I C?
 – Oui. Il a neuf ans. Il va toujours à l'école primaire.
E – Et ta soeur?
 – C'est ma demi-soeur. Elle a vingt ans. Elle s'appelle Coralie. Elle est infirmière.

 Au choix 3 (Ecouter A) (AT1/5–6)
1 Listening to match adverts for houses and apartments, note their prices and the opinions expressed.
2 Pupils give their own opinions.

Maison à vendre!
1 – Tu préfères une maison ou un appartement?
 – Un appartement.
 – Regarde: Appartement, banlieue sud ... c'est bien, le sud ... superbe duplex ... j'aime les duplex, on a un appartement mais on a toujours deux étages ... 90m² environ, assez grand, cuisine intégrée. Ça va ... séjour, trois chambres, salle de bains, wc, box. Box? Qu'est-ce que c'est?
 – Sais pas. Ça coûte combien?
 – 440 000 F. C'est assez cher. Bon, on va le voir? Ça pourrait être intéressant.
2 – Superbe appartement, centre-ville, 45m² env. Cuisine intégrée, séjour, une chambre, salle de bains. Proche gare.
 – Ça coûte combien?
 – 330 000 F.
 – Ah non. Je ne veux pas habiter en centre-ville ... et c'est trop petit.
3 – Banlieue sud très calme, cuisine, salon/séjour, trois chambres, salle de bains, balcon, cave, garage.
 – Ça coûte combien?
 – 560 000 F. Cher?
 – Mais il faut le voir. Ça semble superbe ... avec balcon aussi ... J'espère que le balcon est assez grand.
4 – Banlieue nord: 70m² environ, cuisine intégrée, séjour, deux chambres ... il n'y a que deux chambres ... salle de bains, garage.
 – Ça coûte combien?
 – 380 000 F. Qu'est-ce que tu en penses?
 – C'est trop petit.
5 – Centre-ville: Superbe appartement de 86m² environ, cuisine, salon/séjour 36m², deux chambres, salle de bains, balcon, garage, cave.
 – Combien?
 – Prix 620 000 F.
 – Trop petit et trop cher.
6 – Centre-ville très beau, cuisine intégrée, séjour, deux chambres, salle de bains, état exceptionnel.
 – Ça coûte combien?
 – 475 000 F.
 – C'est pas cher, mais il n'y a que deux chambres, et j'aurais préféré trois ... et je ne veux pas être en centre-ville.
 – On pourrait voir les maisons?
7 – Pavillon jumelé ... jumelé? Six pièces, garage deux voitures, deux terrasses, chauffage gaz.
 – C'est cher?
 – Oui, 800 000 F.
 – Si on doit payer autant, je voudrais un pavillon individuel.
8 – Voilà ... Pavillon 140m², cuisine, salon/séjour avec cheminée, quatre chambres, salle de bains, terrain.

– Cher?
– Pas tellement ... 550 000 F.
– Mmm ... il faut le voir ... cheminée? terrain? Ça pourrait être intéressant. Quatre chambres... et pas trop cher ... Mmm!
9 – Encore une jumelée ... Maison de village jumelée, cuisine equipée, salle de bains, wc, deux chambres ... mmm, deux chambres seulement ... débarras, garage ...
– Ça coûte combien?
– 690 000 F.
– Trop cher pour deux chambres.

✍ **Au choix 4 (Parler A)**
Information gap exercise on jobs. (AT2/3–4)

〰 **Au choix 5 (Parler A) (AT2/5)**
Information gap exercise on famous French people.

✍ **Au choix 6 (Lire A) (AT4/3–4)**
Imaginative writing based on pictures chosen or drawn by pupils.

〰 **Au choix 7 (Lire A)**
Information about places in Normandy.
1 Matching pictures to texts. (AT3/5)
2 Writing about similar pictures. (AT4/3–5)

✍ **Au choix 8 (Ecouter B)**
1 & 2 Listening to descriptions of/opinions about chests of drawers and matching them to pictures. (AT1/3–4)
3 Pupils give their own preference. (AT4/3–4)

📼 **1 Quelle commode préfèrent-ils? (AT1/3)**
1 Je préfère la commode en pin, avec trois tiroirs, à 256F.
2 Je préfère la noire, trois tiroirs, à 238F.
3 Moi? La plus grande, cinq tiroirs, en noir, à 248F.
4 Uhm? En pin, quatre tiroirs, plus large, à 264F.
5 Trois tiroirs, en noir, à 238F.
6 Moi? Uh ... en noir, quatre tiroirs, la plus grande, à 240F.
7 Je voudrais trois grands tiroirs et ... en pin, à 280F.
8 Uhm. Quatre tiroirs, la plus petite et en pin, à 250F.

2 Quelle armoire choisit Nathaniel? (AT1/4)
– Qu'est-ce que tu cherches?
– Une commode pour ma chambre.
– Quelle sorte de commode?
– Beh ... une commode.
– Combien de tiroirs?
– Je sais pas.
– Trois, quatre, cinq?
– Euh ... quatre!
– Grands ou petits?
– Grands!
– En pin ou en noir?
– Euh ... en pin.
– Voilà. Il te faut celle-ci ... Elle coûte 264F. Moi, je préfère celle avec cinq tiroirs en noir. Elle est moins chère. Elle coûte 248F.

〰 **Au choix 9 (Ecouter B) (AT1/4)**
Listening exercises on leisure activities:
1 Filling in a grid.
2 Matching the recording to pictures.

📼 **1 Qu'est-ce qu'on fait ce soir?**
1 – Alors, qu'est-ce qu'on fait ce soir?
– Je sais pas. On pourrait aller au cinéma?

– Ouais, d'accord.
– On se donne rendez-vous à quelle heure?
– Oh, disons dix-huit heures.
– A dix-huit heures, d'accord. Et où?
– Eh ben, devant le cinéma!
– Pas de problème.
2 – Qu'est-ce qu'on fait ce soir?
– Uhm, si on allait en discothèque?
– Oui, pourquoi pas, euh ... mais à quelle heure?
– Vingt-deux heures?
– Bon, d'accord, vingt-deux heures devant la discothèque.
– D'accord.
3 – Qu'est-ce que tu fais ce soir?
– Je sais pas, et toi?
– Ben, moi, je voulais t'inviter à ... à venir chez moi.
– D'accord, et on écoutera la musique.
– Ouais, bonne idee! Tu viens chez moi à quelle heure?
– Bah ... vingt et une heures.
– Vingt et une heures? Oh, vingt et une heures trente, parce que je dois manger.
– D'accord. A ce soir.

2 Qui parle?
1 – Tennis? Normalement, on pourrait dire que je suis sportive, mais pas le tennis. Je déteste le tennis!
2 – Du tennis? Je ne suis pas du tout sportive. J'aime danser, mais les sports ... pas pour moi. Je préfère les activités plus culturelles, le cinéma, le théâtre ...
3 – Tennis? Moi, sportif? Beh ... je suppose. Mais j'ai toujours trop de devoirs.
4 – Tennis? Ben, tu vois, je dois aider à la maison.
5 – Tennis? Non. Ce soir, je fais mes devoirs et après je vais à la piscine avec Mélissa. C'est tout prévu.
6 – Tennis? Non. Je sors pas ce soir ... ça veut dire que ... je sors avec ma petite amie ... mais je ne veux pas que tout le monde le sache. Chut! Il ne faut le dire à personne!
7 – Tennis? Bien sûr. Je veux bien.

✍ **Au choix 10 (Parler B) (AT2/3–4, AT4/3)**
Information gap exercise on daily routine.

〰 **Au choix 11 (Parler B) (AT2/5, AT4/4–5)**
Interviewing classmates about their daily routine.

✍ **Au choix 12 (Lire B)**
1 Daily routine: a text with pictures to complete. (AT3/3)
2 Writing about daily routine based on pictures. (AT4/4)

〰 **Au choix 13 (Lire B)**
1 Daily routine: a first-person text to summarise in the third person. (AT3/5, AT4/5)
2 Putting the text in the past. (AT4/5)
3 Pupils describe their own routine (past tense). (AT4/5–6)

✍ **Au choix 14 (Ecouter C)**
Surveys:
1 Colouring a pie chart according to the results described. (AT1/4)
2 Writing up the results based on a pie chart. (AT4/4)

1 Nos couleurs préférées. Ecoute les résultats du sondage de Murielle et colorie le camembert.
- Bon ... On est combien d'élèves dans la classe?
- 36.
- Euh, 36. Et combien préfèrent le bleu?
- 9. Colorie neuf segments en bleu.
- Et le noir?
- 8.
- Et combien préfèrent le rouge?
- 7.
- Et quelle autre couleur?
- Le vert.
- Combien?
- 4.
- Et ...?
- Le jaune.
- Je n'ai pas de crayon jaune.
- Prends l'orange.
- Combien?
- 4 aussi.
- Et encore ...?
- Le rose: 2, et le dernier segment ... turquoise.
- Mais il me reste deux segments.
- Bon, je répète: bleu 9; noir 8; rouge 7; vert 4; jaune 4; rose 2; violet 1; turquoise 1.
- Ah, c'est le violet. Tu ne l'avais pas dit.
- Si, je l'ai dit! C'est toi qui te trompes.
- Oh, là, là!!!

Au choix 15 (Ecouter C) (AT1/5, AT4/4–5)
1 & 2 Colouring a pie chart according to the survey results described, and writing a summary of the results.

1 Ecoute les résultats du sondage de Cédric et colorie le camembert.
- Bon, il y a combien d'enfants dans la classe?
- J'en ai compté 33, plus Aurélie qui n'est pas là, et toi et moi.
- Alors, ça fait 36. C'est facile: 10 degrés par personne.
- Bon. Fais une liste. 8 ont un frère.
- C'est faux! J'en avais compté 9.
- Ah oui, avec moi! J'ai un frère, moi aussi. 9 ont un frère.
- 6 ont une soeur.
- 6 ont une soeur. Et 5 ont un frère et une soeur.
- M'as-tu comptée? Parce que j'ai un frère et une soeur.
- Euh, non ... euh ... 6 ont un frère et une soeur, alors.
- Oui, c'est ça. 6 sont fils ou fille unique.
- 6 sont fils ou fille unique. 2 ont deux soeurs.
- Oui, 2 ont deux soeurs.
- 4 ont deux frères.
- C'est ça: 4 ont deux frères.
- Et 2 ont deux frères et une soeur.
- 2 ont deux frères et une soeur. Ça fait 35. Et Aurélie?
- Elle est fille unique.

Au choix 16 (Parler C) (AT2/3–4)
Interviewing a partner about personal details and preferences.

Au choix 17 (Parler C) (AT2/3–5)
Interviewing a classmate and an adult about personal details (using *tu* and *vous*).

Au choix 18 (Lire C) (AT3/2–3)
Television programmes:
1 Matching words and pictures.
2 & 3 Classifying programmes from a French TV schedule and finding English equivalents.

Au choix 19 (Lire C) (AT3/5–6)
Films:
1 & 2 Matching film descriptions to titles and viewers.
3 Summarising one of the texts in English.

Module 2

Au choix 20 (Ecouter A) (AT1/4)
Countries of the EC: colouring in flags and noting down capital cities and population figures.

- C'est quel pays?
- C'est le Royaume-Uni.
- Et comment est le drapeau?
- Il est bleu, rouge et blanc.
- Et la capitale, c'est quoi?
- C'est Londres.
- Et ... combien y a-t-il d'habitants?
- Il y a 57 millions d'habitants.
- 57 millions. ... C'est quel pays?
- Maintenant, c'est la France.
- Le drapeau est bleu à gauche, blanc au milieu et rouge à droite. Et la capitale, c'est Paris.
- Oui, et il y a 56 millions d'habitants.
- 56 millions d'habitants. Maintenant, c'est quel pays?
- C'est l'Italie.
- Et le drapeau est comment?
- Il est vert à gauche, puis blanc, et enfin rouge.
- Quelle est la capitale?
- C'est Rome.
- Combien y a-t-il d'habitants?
- Il y a 57 millions 500 mille habitants.
- 57 millions 500 mille. C'est quel pays?
- Maintenant, c'est l'Allemagne.
- Et comment est le drapeau?
- Il est noir en haut, puis rouge, et jaune en bas.
- Quelle est la capitale?
- C'est Berlin.
- Et quelle est la population?
- Il y a 78 millions d'habitants.
- 78 millions. Et maintenant, c'est quel pays?
- Maintenant, c'est l'Espagne.
- Comment est le drapeau?
- Il est rouge en haut, jaune et rouge.
- Et la capitale, c'est quoi?
- La capitale, c'est Madrid.
- Et il y a combien d'habitants?
- 39 millions.
- 39 millions d'habitants. Et ... c'est quel pays?
- C'est la Belgique.
- Et ... comment est le drapeau?
- Il est noir à gauche, puis jaune, et rouge à droite.
- Quelle est la capitale?
- C'est Bruxelles.
- Et il y a combien d'habitants?
- 10 millions.
- 10 millions.
- Maintenant, c'est les Pays-Bas.
- Comment est le drapeau?
- Rouge en haut, puis blanc et bleu.

- Et quelle est la capitale?
- C'est Amsterdam.
- Et il y a combien d'habitants?
- Il y a 15 millions d'habitants.
- 15 millions. Et ... c'est quel pays?
- C'est le Portugal.
- Et le drapeau est comment?
- Il est vert à gauche et puis rouge.
- Et quelle est la capitale?
- La capitale, c'est Lisbonne.
- Et combien y a-t-il d'habitants?
- 10 millions.
- 10 millions d'habitants. C'est quel pays?
- Maintenant, c'est la Grèce.
- Et comment est le drapeau?
- Il y a une croix blanche, en haut, sur fond bleu. Et puis ensuite, la première ligne en haut est bleue, la seconde est blanche, et ainsi de suite.
- Et quelle est la capitale?
- Athènes.
- Combien y a-t-il d'habitants?
- Il y a 10 millions d'habitants.
- 10 millions d'habitants.

 Au choix 21 (Ecouter A) (AT1/4–5)
Knowledge of France: writing out the names of the French regions.

Les 22 régions de France: Comment ça s'écrit?
- Le numéro 1, c'est la Bretagne.
- Bretagne: B r e t a g n e. Bretagne.
- Oui, c'est ça. Le numéro 2, c'est la Basse Normandie.
- Basse Normandie? Basse avec deux s et Normandie avec i e à la fin.
- Voilà, exact. Alors, le numéro 3, c'est la Haute Normandie.
- Haute Normandie: H a u t e, Normandie, i e.
- Alors, le 4, c'est la Picardie.
- Picardie: P i c a r d i e.
- Oui, c'est ça. Le 5, c'est le Nord-Pas-de-Calais.
- Ça, c'est dur. Nord-Pas-de Calais: Nord, trait d'union, Pas P a s, trait d'union, de d e, trait d'union, Calais avec un s à la fin.
- Exact. Après, c'est le numéro 6: Champagne-Ardenne.
- Champagne-Ardenne? Champagne: C h a m p a g n e, trait d'union, Ardenne, avec deux n, e à la fin.
- Voilà. Alors, le numéro 7, c'est la Lorraine.
- Lorraine: L o r r a i n e?
- Voilà, c'est ça. Le numéro 8, c'est l'Alsace.
- Alsace? A l s a c e, c'est ça, Alsace?
- Oui, c'est ça. Le numéro 9, c'est la Franche-Comté.
- Franche-Comté? Franche: F r a n c h e, trait d'union, Comté, avec un e accent aigu à la fin et un m avant le t.
- Voilà, c'est ça. Le numéro 10, c'est la Bourgogne.
- Bourgogne: B o u r g o g n e.
- Voilà, comme ça. Après, c'est l'Île-de-France.
- Ça, c'est dur. Alors, I accent circonflexe l e, trait d'union, d e, trait d'union, France: Île-de-France.
- Voilà. Après, le 12, c'est le Centre.
- Ça, c'est pas dur. C e n t r e.
- Voilà. Apres, le numéro 13, c'est le Pays de la Loire.
- Alors, Pays avec un y, de, la, Loire avec un l majuscule: L o i r e.

- Voilà comme ça. Le numéro 14, c'est Poitou-Charentes.
- Poitou-Charentes? Euh ... P o i t o u, euh, trait d'union, C h a r a n ... euh, non, C h a r e n t e s.
- Voilà. Après, le 15, c'est le Limousin.
- Limousin: L i m o u s i n.
- Voilà comme ça. Le numéro 16, c'est l'Auvergne.
- Auvergne? Ça, je sais l'écrire: A u v e r g n e. Auvergne.
- Voilà comme ça. Le numéro 17, Rhône-Alpes.
- Rhône-Alpes? Uhm ... Alors, c'est R h o accent circonflexe n e, trait d'union, A l p e s.
- Voilà comme ça. Alors, le numéro 18, c'est Provence-Alpes-Côte d'Azur.
- Provence-Alpes-Côte d'Azur? Provence: P r o v e n c e, trait d'union, Alpes: A l p e s, trait d'union, Côte: C o accent circonflexe t e, d'Azur, euh, d apostrophe A z u r.
- Voilà. Après, c'est le Languedoc-Roussillon.
- Le 19, c'est le Languedoc-Roussillon? Euh, Languedoc: L a n g u e d o c, trait d'union, Roussillon: R o u s s i l l o n. Languedoc-Roussillon.
- C'est juste. Le numéro 20, Midi-Pyrénées.
- Midi: M i d i, trait d'union, P y r e accent aigu n e accent aigu e s: Midi-Pyrénées.
- Voilà, parfait. Le numéro 21, c'est l'Aquitaine.
- Aquitaine: A q u i t a i n e. Aquitaine.
- Encore mieux. Et nous terminons avec le numéro 22, la Corse.
- Ça, c'est simple: C o r s e. Corse.

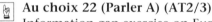 **Au choix 22 (Parler A) (AT2/3)**
Information gap exercise on European countries and capitals.

Au choix 23 (Parler A) (AT2/4–5)
Pupils prepare and record a commentary on people's age, country and home town. **(AT2/5b)**

Au choix 24 (Lire A) (AT3/2)
Recognising European countries on a map and matching them with their capital cities.

Au choix 25 (Lire A)
1 Questions on a text about the earth and the seasons. **(AT3/5)**
2 & 3 Short gapped texts about the solar system and the oceans. **(AT4/3)**

Au choix 26 (Ecouter B) (AT1/4–5)
A gapped text about Burkina Faso to complete, based on the one in the Pupil's Book. This is presented as a dictation exercise on tape.

Burkina Faso
Ecoute et remplis les blancs.
- Le Burkina Faso, situé à l'intérieur de l'Afrique, est grand comme la moitié de la France ... comme la moitié de la France ...
- La moitié de la France.
- Oui, c'est ça. Au nord et à l'ouest il y a le Mali ...
- Le Mali?
- Le Mali, M a l i virgule; au nord-est le Niger ...
- Le Niger?
- Le Niger, N i g e r; le Niger virgule; au sud-est le Bénin ...
- Le Bénin?
- Le Bénin, B é n i n virgule, et au sud le Togo ...
- Togo?

- T o g o; le Togo virgule, le Ghana ...
- Ghana?
- G h a n a et la Côte d'Ivoire.
- Côte ...?
- Oui, C ô t e d apostrophe Ivoire; I v o i r e. OK?
- Ouais. Côte d'Ivoire. Oui.
- En raison de sa position tropicale ...
- Sa position tropicale?
- Oui, sa position tropicale; tropicale, t r o p i c a l e ... ça va?
- Oui ...
- ... le Burkina a un climat à deux saisons ...
- A deux saisons ...
- Oui, une saison sèche de mars à juin ...
- ... de mars ... à juin.
- ... et une saison des pluies de juillet à octobre.
- ... de juillet ... à octobre.
- La capitale s'appelle Ouagadougou ... tu sais comment ça s'écrit?
- Oui.
- ... et a une population de 441 500 habitants.
- 441 500.
- Les autres villes importantes sont: Bobo, avec une population de 228 000 habitants ...
- 228 000 habitants; OK.
- Koudougou, 52 000 habitants ...
- 52 000 habitants.
- Ouanhigouya, 39 000 ...
- 39 000.
- ... et Banfora, 35 500.
- 35 500, d'accord.
- L'économie est essentiellement basée sur l'agriculture et l'élevage ...
- L'a-gri-cul-ture ... et l'é-le-vage?
- Oui, l'élevage, é l e v a g e.
- OK.
- 90% ... 90 pour cent ... de la population active est dans l'agriculture. Dernier paragraphe. T'as presque fini! Outre le français ...
- Le français ...
- ... qui est la langue officielle ...
- Deux l, e?
- Oui, deux l, e ... les langues nationales les plus utilisées sont: le moré, m o r é ...
- m o r é
- ... virgule, le dioula, d i o u l a ...
- d i o u l a
- ... et le peulh, p e u l h.
- p e u l h
- Point final.

♒ Au choix 27 (Ecouter B)

A text about preparations for a visit to Burkina Faso. Pupils tick on a list the items they hear mentioned, and note down additional items. (AT1/6)

▦ Julien va au Burkina Faso. Ecoute et regarde la liste.

- Effets personnels: un bon sac de voyage ou sac à dos.
- Oui. Le voilà.
- Un plastique de 2m sur 1m pour isoler du sol.
- Non.
- Il faut chercher dans le garage. Il y en a un avec la petite tente. Un matelas mousse de 5 cm d'épaisseur.
- Oui, le voilà.

- Un drap cousu en forme de sac. Il y en a un dans la cave. Ton père en avait un quand il faisait des randonnées et dormait dans des auberges de jeunesse. Un pantalon.
- Oui, mon jean.
- Deux shorts.
- Je n'en ai qu'un.
- Il faut t'en acheter un deuxième. Des maillots de corps, oui, bien sûr. Une casquette.
- Oui, la voilà.
- Un pull pour le voyage. Pas de problème. T'en as plusieurs. Des sous-vêtements ... Ouais. Une paire de bonnes chaussures type tennis.
- Les miennes sont abîmées.
- Il faut en acheter des nouvelles. Une paire de chaussures légères type espadrilles ou sandales. T'en as toujours de l'année dernière?
- Oui.
- Un vêtement imperméable genre cape cycliste.
- Non. Mais je vais en emprunter un à Christophe. Il en a un. Il fait du cyclisme. Il a de tout.
- Une trousse de toilette et deux serviettes. OK ... couteau, gourde métallique pour de l'eau, lampe de poche ... Tu as tout ça?
- Non, je n'ai pas de gourde.
- Bon, il faut en acheter une. Papier toilette? Ben ... Combien il t'en faut?? Qu'est-ce que tu vas prendre en plus?
- On ne peut pas acheter de piles là-bas, alors il faut en acheter avant de partir.
- Combien?
- Ben ... pour le Walkman, quatre ... et pour la lampe, deux grandes ... et pour l'appareil photographique, quatre petites.
- C'est tout?
- J'ai aussi besoin de quelque chose à lire, des magazines peut-être.
- Des magazines ... des cartes à jouer?
- Oui, des cartes à jouer.
- Des lunettes de soleil?
- Des lunettes de soleil.
- De la crème solaire?
- Oui, bien sûr, de la crème solaire. Oui, tout ça ... et des Mars!
- Des Mars? Mais il va faire trop chaud. Ils vont fondre.
- Bon, des biscuits, alors ... du chewing-gum et des bonbons.
- Biscuits, chewing-gum, bonbons. Et c'est tout?

☞ Au choix 28 (Parler B) (AT2/3)

Asking for items of food/drink and asking/saying whether you like them.

♒ Au choix 29 (Parler B) (AT2/4–5)

A mapped dialogue between customer and waiter at a bar.

☞ Au choix 30 (Lire B) (AT3/4)

1 A text about the water cycle with pictures to match to vocabulary items.
2 Reading instructions for an experiment.

♒ Au choix 31 (Lire B)

1 A text about deserts with comprehension questions. (AT3/6)
2 Pupils write short texts using picture prompts. (AT4/4–5)

Au choix 32 (Ecouter C)

1 Recognition of countries, seasons and weather expressions. (AT1/3)
2 Pupils produce a similar description of their own country. (AT4/3–4)

J'habite ...
a Où habitent-ils?
b Quelle saison préfèrent-ils?
c Pourquoi?

1 J'habite à Québec au Canada. Ma saison préférée, c'est l'automne, parce que les feuilles sont de toutes les couleurs.
2 J'habite Bruxelles, en Belgique. Je préfère l'été, parce qu'il fait chaud, il y a du soleil ... et puis il y a les vacances!
3 J'habite Lausanne, en Suisse. Ma saison préférée est l'hiver parce que j'adore la neige et les sports d'hiver, surtout la luge et le surf.
4 J'habite en Avignon. C'est dans le sud de la France, en Provence, dans la vallée du Rhône. Ma saison préférée, je crois, c'est le printemps, parce qu'il fait plus frais ... Tous les arbres sont en fleurs ... les pêchers, les pommiers, les poiriers, etc.
5 Moi, j'habite à la Martinique. Nous n'avons que deux saisons, une saison des pluies et une saison sèche. Je préfère la saison des pluies: il fait plus frais. Il y a souvent des orages, mais ils passent vite ... et puis, il fait toujours chaud: on sèche vite!

Au choix 33 (Ecouter C) (AT1/6)

1 A description of a tour of a town: pupils mark the route on a plan.
2 Identifying pictured buildings from the previous description.

En ville
1 Ecoute et trace la route sur le plan.
Bon. On va commencer la visite ici, devant le syndicat d'initiative ... Sur notre gauche il y a la mairie, qui date du seizième siècle ... Plus loin, là, après la mairie, c'est l'église St.-Antoine, construite en 1846. On continue, et puis en face, ce bâtiment décoré, c'est la gare, construite une première fois en 1916 ... puis détruite pendant la deuxième guerre mondiale ... et reconstruite en 1946.
A côté de la gare, vous voyez le restaurant Jules-Verne. Ce restaurant s'appelle Jules-Verne parce qu'on dit qu'il a mangé là, mais comme le restaurant date de 1946 ... beuh, je ne le crois pas vraiment. Peut-être que c'était son fantôme.
A droite, c'est la banque. Vous voyez l'ancienne porte romaine? C'est par ici que les Romains entraient dans la ville après leurs batailles ... Ici, à gauche, il y a la poste ... La poste date de 1922, et après la poste on tourne à droite ... Le bâtiment là, c'est le théâtre. Et ici, le bâtiment avec le drapeau, c'est le commissariat de police. Il a été reconstruit en 1948. Plus loin, on voit le château qui date du treizième siècle ... mais il n'en reste pas grand-chose, et de toute façon, ce n'est pas inclus dans notre visite.
Maintenant, on va tourner à droite pour aller visiter le Musée des Beaux-arts, et après, on ira visiter le jardin botanique ... avant de descendre à la rivière pour prendre le bateau pour le retour. J'espère que la visite vous plaira ...

Au choix 34 (Parler C) (AT2/4–6)

Pupils work in pairs to prepare and record an advertisement for a seaside resort.

Au choix 35 (Parler C) (AT2/5–6, AT4/5–6)

With picture clues, pupils describe an imagined visit to Burkina Faso (using the perfect and imperfect tenses).

Au choix 36 (Lire C)

1 Finding places on a town plan from directions. (AT3/3–4)
2 Deducing the questions the visitors asked. (AT3/3–4)
3 Giving directions to various places. (AT4/3–4)

Au choix 37 (Lire C) (AT3/5, AT4/5–6)

'Find the differences': practice of present and past tense descriptions, 1 referring to Burkina Faso, and 2 to pupils' own country.

Module 3

Au choix 38 (Ecouter A) (AT1/3–4, AT4/2)

Completing forms with 1 the speakers' personal details, and 2 pupils' own.

Fiches d'identité
1 Ecoute et remplis les fiches.
– Quel est ton nom de famille?
– Ploteau.
– Et ça s'écrit comment?
– P l o t e a u.
– Et quel est ton prénom?
– Je m'appelle Sarah.
– Et ça s'écrit comment?
– S a r a h.
– C'est quand ton anniversaire?
– C'est le 9 novembre.
– Le 9 novembre. Et dans quelle ville habites-tu?
– J'habite à Rouen.
– Ça s'écrit comment?
– R o u e n.
– Et quelle est ton adresse?
– 30, rue du Renard: R e n a r d.
– Et ton numéro de téléphone?
– 35 70 80 33.
– 35 70 80 33. Et qu'est-ce que tu fais quand tu as du temps libre?
– Je fais de l'équitation et du théâtre.

– Quel est ton nom de famille?
– Fabulet.
– Et ça s'écrit comment?
– F a b u l e t.
– Et quel est ton prénom?
– Jane.
– Ça s'écrit comment?
– J a n e.
– Quel âge as-tu?
– 16 ans.
– Et c'est quand ton anniversaire?
– C'est le 22 mai.
– Le 22 mai. Et dans quelle ville habites-tu?
– J'habite à Rouen.
– Quelle est ton adresse?
– 13, rue des Capucins.
– Et comment ça s'écrit, Capucins?

– C a p u c i n s.
– Et ton numéro de téléphone?
– 35 98 25 22.
– 35 98 25 22. Et qu'est-ce que tu fais quand tu as du temps libre?
– Je fais de la danse classique ou de la natation, et parfois, j'écoute de la musique.

Au choix 39 (Ecouter A)

1 Matching horoscope texts to the signs mentioned in the recording, then judging the speakers' attitudes. (AT1/6)
2 Writing horoscopes. (AT4/5–6)

1 a C'est quel signe?
b Qu'est-ce qu'ils en pensent? Ils y croient, ou pas?

– Mélissa, tu es de quel signe?
– Bélier.
– Tu vas avoir de la chance, toi. Tu vas 'recevoir de l'argent' et tu vas 'trouver un nouveau petit ami'.
– Fantastique. Je n'y crois absolument pas. Ça voudrait dire que tous les Béliers vont recevoir de l'argent, c'est stupide. Et toi, François? Tu vas trouver une nouvelle petite amie?
– Moi, je suis Taureau. 'Excellente période dans les études.' Dis donc. Nous avons un contrôle en maths la semaine prochaine ...
– Qu'est-ce qu'ils disent pour le Lion? Maurice est Lion.
– 'Tout va bien côté coeur. Il se pourrait que ce soit le moment pour tomber amoureux.' Voilà ton petit ami!
– J'espère que ça veut dire avec moi. Oh, je ne veux pas qu'il trouve quelqu'un d'autre.
– Scorpion. Aline est Scorpion. 'Votre dynamisme étonnera et vous êtes capable de grands exploits!' Qu'est-ce qu'elle va faire? Qui sait? Sagittaire. Wilfried est Sagittaire ... 'Les amis seront à votre écoute et de bon conseil.' On va voir ... si on peut le séparer de son Gameboy.
– Poissons. Pierre est Poisson ... 'Vous recevrez une réponse à une lettre ou un coup de téléphone important.' Il n'a pas de téléphone chez lui et il n'écrit jamais!
– Regarde, Verseau ... 'Magnifique période en amour. Vous pourriez recevoir un cadeau.'... Oh, là, là, c'est stupide.
– Eh, qu'est-ce que vous faites? Vous lisez les horoscopes? Qu'est-ce que c'est le mien? Je suis Cancer.
– Mais Janine, tu n'y crois pas!
– Si, j'y crois! Faites voir ... 'Vous aurez des intuitions étonnantes.' J'ai l'intuition qu'on va avoir un contrôle en maths. Je vais me préparer.
– Mais c'est la semaine prochaine!
– Vous ne saviez pas? On l'a changé. C'est aujourd'hui. Vous ne l'aviez pas lu dans votre horoscope?!
– Oh, merde!

Au choix 40 (Parler A) (AT2/3–4)

1 & 2 Interviewing a pupil and an adult and completing forms.

Au choix 41 (Parler A) (AT2/5–6)

Guided speaking about 'last weekend' using picture cues.

Au choix 42 (Lire A)

1 Texts about different types of hands for comprehension. (AT3/4)
2 Labelling parts of the body. (AT4/2)

Au choix 43 (Lire A) (AT3/5)

1 & 2 Similar to the above, with more advanced texts.
3 Adjectives and agreement.

Au choix 44 (Ecouter B)

1 & 2 Recognition of foods vocabulary and prices. (AT1/3–4)
3 Understanding the speakers' opinions; saying whether one agrees and discussing with a partner. (AT1/4–5, AT2/4–5)

1 a Qu'est-ce qu'il achète?
b Ça coûte combien?

1 – Bonjour monsieur. Un pain s'il vous plaît.
– Un pain. Voilà, 4F.
2 – Bonjour madame. 500g de beurre ...
– Voilà, 15,50F.
– ... un litre de lait ...
– Un lait: 6F.
– ... du fromage ...
– Mais oui, mais quelle sorte de fromage?
– Un camembert, s'il vous plaît.
– Un camembert. Voilà, un camembert: 11,80F. C'est tout?
– Oui, c'est tout.
3 – Je voudrais de la salade ...
– Une salade: 5,60F.
– ... un kilo de tomates ...
– Un kilo de tomates: 13,10F.
– ... 500g de carottes ...
– Des carottes: 500g de carottes: 3,05F.
– ... et un kilo de pommes de terre.
– Un kilo de pommes de terre: 7F.
– Un kilo de pommes et un kilo d'oranges.
– Voilà, les pommes, un kilo de pommes: 13F, et les oranges: 14F. C'est tout?
– Oui, c'est tout.

3 a A leur avis, c'est bon ou pas?
– Bon. Je vais acheter du pain et des croissants.
– Pas de croissants, ils contiennent trop de beurre, trop de calories.
– OK. Pas de croissants. Du beurre?
– Oui, un peu. C'est bon, mais il ne faut pas en manger trop.
– De la confiture? Non, c'est trop sucré. Des céréales?
– Oui, c'est bon.
– Euh ... du lait?
– Oui, il faut en acheter, mais si tu achètes du demi-écrémé c'est mieux.
– Du fromage?
– Oui, c'est bon, mais pas trop.
– Des frites?
– Non. Trop de graisse. Achète des pommes de terre.
– Du poulet?
– Oui, c'est bon.
– Des oeufs?
– Oui, très bon, mais il ne faut pas en manger trop à la fois.
– De la salade?
– Oui, c'est bon. C'est la mayonnaise qui n'est pas bonne.

- Jambon. Non, c'est pas bon.
- Pourquoi?
- Je ne sais pas. Les carottes?
- Bon, surtout cru.
- Les champignons?
- Je ne sais pas.
- Du poisson?
- Très bon. Très riche en toutes sortes de choses.
- De toute façon, les tomates et les fruits sont tous bons.

Au choix 45 (Ecouter B)
1 & 2 A survey of opinions on sports: pupils fill in a grid and write up the results. (AT1/4–5)
3 Pupils give their own opinions. (AT4/4–5)

Les sports
1 Comment trouvent-ils ces sports? Remplis la grille.
1 – Guillaume, que penses-tu du foot?
  - J'aime le foot.
  - Et le tennis?
  - J'aime également le tennis.
  - Aimes-tu le cheval?
  - Je ne sais pas. Je n'ai jamais essayé.
  - As-tu déjà essayé la natation?
  - Oui, mais je n'aime pas.
  - Pratiques-tu le vélo?
  - Oh oui, et j'adore.
  - As-tu essayé le parapente?
  - Non, je n'ai jamais essayé.
  - Le ski?
  - Non plus.
2 – Sarah, aimes-tu le foot?
  - Non, je n'aime pas le foot.
  - Et le tennis?
  - Non, pas le tennis non plus.
  - Fais-tu du cheval?
  - Oui, j'aime bien le cheval.
  - Et la natation aussi?
  - Oui!
  - Pratiques-tu le vélo?
  - Oui ...
  - As-tu déjà essayé le parapente?
  - Non, je n'ai jamais essayé.
  - Et aimes-tu le ski?
  - Je n'ai jamais essayé non plus.
3 – Stan, aimes-tu le foot?
  - Bof.
  - Tu n'aimes pas le tennis?
  - Non plus.
  - As-tu déjà fait du cheval?
  - Je ne sais pas, euh, j'ai jamais essayé.
  - Beh, tu as essayé la natation?
  - Oui, j'aime bien.
  - Et le vélo?
  - Ça aussi, j'aime bien.
  - As-tu déjà essayé le parapente?
  - Oui, souvent, et j'aime beaucoup.
  - Le ski aussi?
  - Je ne sais pas, euh, j'ai jamais essayé.
4 – Delphine, aimes-tu le foot?
  - Oui, j'aime bien.
  - Et le tennis?
  - Aussi.
  - Que penses-tu du cheval?
  - Je ne sais pas. Je n'ai jamais essayé.
  - Tu pratiques la natation?

- Oui, mais ... je n'aime pas trop.
- Aimes-tu le vélo?
- Oh, non plus.
- Et le parapente, as-tu déjà essayé?
- Non, j'ai jamais essayé.
- Le ski te passionne?
- Ah oui, j'adore ça!
5 – Alexei, que penses-tu du foot?
  - J'aime bien.
  - Et le tennis aussi?
  - Ah non, ça je n'aime pas du tout.
  - Le cheval, là, tu aimes?
  - Non plus.
  - Aimes-tu la natation?
  - Non.
  - Et le vélo?
  - Ça, j'adore!
  - Ah. As-tu déjà essayé le parapente?
  - Non, mais j'aimerais bien essayer.
  - Le ski aussi?
  - J'aime bien.
6 – Cécile, aimes-tu le foot?
  - J'ai horreur du foot.
  - Et le tennis?
  - Ça, j'adore.
  - Le cheval aussi?
  - Le cheval, je n'ai jamais essayé.
  - Tu as déjà essayé la natation?
  - Oui, j'aime bien.
  - Aimes-tu le vélo?
  - J'aime bien aussi.
  - Et le parapente?
  - Ça va.
  - As-tu déjà pratiqué le ski?
  - Je n'ai jamais essayé.
7 – Jane, joues-tu au foot?
  - Euh non, pas du tout.
  - Et au tennis?
  - Oui, j'aime bien.
  - Tu aimes le cheval?
  - Sans plus.
  - Est-ce que tu nages?
  - Euh, non, pas vraiment.
  - Aimes-tu faire du vélo?
  - Mmm, ça dépend.
  - As-tu déjà pratiqué le parapente?
  - Euh, non, jamais.
  - As-tu déjà skié?
  - Oui, c'est ce que je préfère.
8 – Laurent, aimes-tu le foot?
  - Oui, c'est ma grande passion.
  - Et le tennis?
  - Couci-couça.
  - Es-tu déjà monté sur un cheval?
  - Non.
  - Aimes-tu la natation?
  - Bof.
  - Et le vélo?
  - Oui, ça va.
  - Pratiques-tu le parapente?
  - Mm, parfois, mais je n'aime pas vraiment.
  - As-tu déjà skié?
  - Oui, et j'aime bien.

Au choix 46 (Parler B) (AT2/4)
A mapped shopping dialogue to practise in pairs.

Au choix 47 (Parler B) (AT2/5)
A mapped dialogue to practise in pairs, making arrangements to go out.

Au choix 48 (Lire B)
1 & 2 Recognising food vocabulary, with follow-up work on genders. (AT3/1–2)
3 Practising asking for items at the market. (AT2/2)

Au choix 49 (Lire B) (AT3/5)
A text for reading comprehension, with follow-up writing.

Au choix 50 (Ecouter C) (AT1/4)
Ski results to note on a grid.

Mesdames et messieurs, voici les résultats de la compétition de ski:
En descente:
Fischer, Autriche, numéro 1: 2 minutes 7 secondes, 5me.
Zurbriggen, Suisse, numéro 2: 2 minutes 1 seconde, premier.
Combremont, France, numéro 3: 2 minutes 5 secondes, 4me.
Girardelli, Luxembourg, numéro 4: 2 minutes 2 secondes, 2me.
Marciandi, Italie, numéro 13: 2 minutes 4 secondes, 3me.
Dans le slalom:
Picard, France, numéro 1: 1 minute 7 secondes 3 dixièmes, 3me.
Petersen, Norvège, numéro 2: 1 minute 7 secondes 4 dixièmes, 4me.
Tomba, Italie, numéro 3: 1 minute 7 secondes 1 dixième, premier.
Stenmark, Suède, numéro 4: 1 minute 7 secondes 2 dixièmes, 2me.
Hauser, Autriche, numéro 5: 1 minute 7 secondes 8 dixièmes, 5me.

Au choix 51 (Ecouter C) (AT1/5–6)
Opinions on winter sports: pupils fill in a grid and then give their own opinion.

Les sports d'hiver
1 Qu'est-ce qu'ils en pensent?
1 Les sports d'hiver sont super! On est en plein air, on se détend ... ça fait du bien.
2 Je trouve ça horrible. On abat les arbres pour construire des remontées. C'est la destruction de l'environnement ...
3 As-tu vu une station de ski? Elles sont laides, laides ... comme une ville interplanétaire. En haut des montagnes, là où il y avait des jolis petits villages et des vieux chalets.
4 C'est bien pratique. On peut aller dans les magasins directement de l'appartement par des passages souterrains. Et le télécabine est devant la porte.
5 Le soir, on peut skier jusqu'à la porte de l'appartement. Les remontées sont bien, fréquentes ... Il y a des téléskis et des télésièges, il y a assez de place: il ne faut pas faire la queue ...
6 Les animaux perdent leur habitat. On détruit l'environnement pour construire des villes qui sont vides pendant l'été. On abat les arbres et on risque d'avoir des avalanches.

Au choix 52 (Parler C)
1 Pupils choose a theme, carry out a survey and write up the results. (AT2/3–4)
2 Summarising survey results from a given grid. (AT4/4–6)

Au choix 53 (Parler C) (AT2/5–6)
Information gap exercise: finding a time for an outing and arranging a rendezvous.

Au choix 54 (Lire C) (AT3/4)
A recipe to read and understand.

Au choix 55 (Lire C) (AT3/5–6, AT4/5–6)
A text about acne with comprehension questions and follow-up writing of advice.

Module 4

Au choix 56 (Ecouter A)
1 Matching descriptions of shoes to pictures and recognising the price. (AT1/4)
2 Pupils give their own preference. (AT4/3–4)

Les chaussures
1 a Quelles chaussures préfèrent-ils?
b Elles coûtent combien?
1 – J'ai besoin de mocassins. Lesquels préfères-tu, les marron clair ou les marron foncé?
– Je préfère les marron foncé avec frange. Ils coûtent combien?
– Les mocassins foncés coûtent 235F et les clairs 145F.
– 235F et les clairs 145F.
2 – Regarde les sandales. Lesquelles préfères-tu?
– Elles coûtent combien?
– Celles à fleurs 155F, et les blanches 99F.
– 155F et 99F. Je préfère celles à fleurs.
3 – J'ai besoin d'une paire de baskets. Lesquelles préfères-tu?
– Elles coûtent combien?
– 175F unies et 195F bicolores.
– 175F et 195F. Je préfère les baskets bicolores.
4 – Je voudrais des bottes.
– Lesquelles préfères-tu?
– Elles coûtent combien?
– Les plus petites 185F et les plus grandes 365F.
– 185F et 365F. Moi, je préfère les plus petites.
5 – J'ai besoin d'un cadeau pour mon grand-père.
– Tu pourrais lui acheter des pantoufles.
– Bonne idée. Elles coûtent combien?
– 95F et 165F.
– 95F et 165F. Je n'ai que cent francs.
– Alors c'est facile!
6 – Mes tennis sont abîmés.
– Regarde, il y en a à 98F et à 149F.
– 98F et 149F. Quelle différence y a-t-il?
– Ceux avec les semelles plus épaisses sont plus chers.
– Oh, tant pis. Je les préfère.

Au choix 57 (Ecouter A) (AT1/6)
Clothes: Noting down prices and recognising which picture corresponds to the French teenagers' choice.

1 a Combien ça coûte?
b Qu'est-ce qu'ils préfèrent?
1 – Bon, le polo en 100% coton piqué, col tricot, avec petites manches, coûte 145F. On peut

l'avoir en blanc, vert, violet ou jaune.
Le polo en 100% coton piqué, col tricot, sans
manches, coûte 125F. Les couleurs sont blanc,
rose, jaune, bleu clair.

– J'ai toujours eu des polos blancs ... il faut
changer. Je voudrais celui sans manches en
bleu vif!
– Il n'y en a pas; il n'existe qu'en bleu clair ...
mais il y a ce tee-shirt court en jersey lourd
100% coton peigné. Mancherons et col rond,
en blanc, jaune, bleu vif et violet.
– Il coûte combien?
– 129F.
– 129F. Non, il est trop lourd. Je préfère celui
sans manches, c'est moins lourd.
2 – Je vais m'acheter un short. Regarde, short en
100% coton, deux poches italiennes,
fermeture éclair, ceinture élastiquée dos:
139F.
– Quelles couleurs?
– Blanc, violet et vert pâle.
– Beurk!
– OK. Bon. Short bicolore en 100% polyester
texturé ... je n'aime pas ça ... avec taille
élastiquée, rayé, deux poches italiennes,
fermeture éclair.
– Il coûte combien?
– 149F.
– Et les couleurs?
– Blanc, bleu pâle et marine.
– Les couleurs sont mieux.
– Oui. Il y a aussi celui-ci: short 100% coton ...
je préfère le coton ... ceinture plate, élastiquée
dos, fermeture à glissière ... ça veut dire
éclair? ... revers aux jambes.
– Il coûte combien?
– 169F.
– Je n'aime pas le revers aux jambes.
– Mais c'est à la mode.
– Quelles couleurs?
– Blanc ou naturel.
– Je préfère le naturel.

Au choix 58 (Parler A) (AT2/3)
Information gap exercise on clothes and prices.

Au choix 59 (Parler A) (AT2/5)
Information gap exercise: pupils describe clothes
for their partner to draw.

Au choix 60 (Lire A)
1 Matching descriptions to drawings of clothes.
(AT3/4)
2 Colours: pupils colour in pictures of tennis
shoes. (AT3/2)

Au choix 61 (Lire A)
1 Matching descriptions to drawings of clothes.
(AT3/4–5)
2 Pupils write their own description. (AT4/4–5)

Au choix 62 (Ecouter B)
1 & 2 Pupils match descriptions of people to
drawings, then prepare their own description.
(AT1/3–4, AT4/3–4)
3 A similar exercise, this time on bags. (AT1/4)

1 Qui est-ce?
1 Je m'appelle Igor. Je porte un jean et un sweat avec
un motif Naf-Naf, une casquette et des baskets.

2 Mon nom est Lucile. Je porte un jean bleu et une
veste en denim bleu, un tee-shirt rouge et des
baskets rouges.
3 Je m'appelle Solène. Actuellement, je porte un
short blanc, parce que je vais jouer au tennis, un
polo bleu clair et des tennis.
4 Mon nom est Natacha. Je porte un polo rose,
une jupe grise, des soquettes blanches et des
tennis également blancs.
5 Je m'appelle Ludovic. Je vais au resto avec mes
parents ... alors je porte un pantalon gris, une
chemise grise et un pull-over bleu-marine.
Normalement, je porte un jean!
6 Mon nom est Florient. Mon polo est noir, mon
short est rouge, mes chaussettes sont rouges et
noires et mes chaussures sont noires.

3 C'est le sac de qui?
[Prof]   Eh! Il ne faut pas laisser les sacs ici!
             C'est à toi, Florient, le sac Naf-Naf?
[Florient]   Non, il est à Igor. C'est lui le look
             Naf-Naf.
[Prof]   Et l'autre sac à dos?
[Lucile]   Il est à Natacha. Le sac avec la raquette
             de tennis est à Solène.
[Florient]   Le mien est le grand sac noir. Le
             cartable rouge est à Lucile et le dernier, le
             cartable noir, est le sac de Ludo.

Au choix 63 (Ecouter B) (AT1/5–6)
Listening to descriptions of lost property and
noting down details.

1 a Remplis les fiches.
b Est-ce qu'on l'a retrouvé?
1 Oh, là, là, là, là! Mon pauvre petit chien. Je l'ai
perdu! Que faire? Mais pour les chiens, c'est pas
vous? Oh, là, là, là, là! Mais qu'est-ce qu'il me faut
faire? Voilà, j'étais en ville et ... et j'ai rencontré
Mme Hibert et nous avons parlé quelques
minutes ... et puis, et puis mon chien, mon chien
n'était plus là. J'ai cherché partout ... partout ...
et puis, et puis j'ai perdu mon sac à main, en
cherchant le chien. Je suis vraiment distraite! ...
Le sac à main? Oui, euh, en cuir, pas grand, pas
grand ... mon porte-monnaie, euh ... mes clés,
euh ... mes cartes bancaires ... oh, là, là, là, là, là,
là, mais comment je vais faire, mais ...? ... Mon
nom? Mme Sorbet. Sorbet, oui, c'est ça: S o r b e
t, 16 chaussée d'Antin ... 161, chaussée d'Antin:
chaussée: C h a u s s é e, d apostrophe, A n t i n
... oui, c'est ça, c'est ça, t i n. ... Téléphone? 42
98 65 32 ... 42 98 65 32 ... Voilà, c'est ça, oui.
Merci beaucoup. Au revoir. Au revoir, monsieur.
2 J'ai perdu ... et ma mère ... C'était pour mon
anniversaire ... la s'maine dernière ... Elle va me
tuer!.... Oui, oui, ben, je m'appelle, euh
Christophe ... Oui, Christophe Duvalier, D
(mmm) u v a l i e r ... Oh, là, là, là, là! Bleu, oui
... oh, à peu près grand comme ça, mm, et la
selle ... oui, la selle est noire, hein ... un P'geot...
oui, oui ... 43, rue Verte ... 43 ... oh, là, là, là, là!
Oui, et n'avons pas de té'phone ...
3 Je m'appelle Monsieur Diderot, Diderot: D i d e r
o t ... rue Blanche, numéro 3 ... Mmm ... 53 71
26 48 ... 53 71 26 48 .... Mes gants? Mmm ... en
cuir, mmm ... cadeau de ma femme, mmm ...
marron ... Uh, dans le bus ... Ma voiture est en
panne. ... Ah non, non, non, je ne suis pas
habitué à prendre le bus. C'est idiot, idiot!

Au choix 64 (Parler B) (AT2/4–5)
Lost property: a mapped dialogue to practise.

Au choix 65 (Parler B) (AT2/5–6)
Pupils colour in outfits and prepare a fashion show commentary.

Au choix 66 (Lire B)
1 & 2 School uniform: revision of clothing vocabulary and agreement of colour adjectives. (AT3/1–2)
3 Pupils prepare their own description of what they wear. (AT4/4–5)

Au choix 67 (Lire B)
1 & 2 School uniform: similar to **Au choix 66** but with less support. (AT4/2, 3–4)
3 & 4 Opinions on school uniform: pupils recognise the opinions expressed and give their own. (AT3/5, AT4/4–5)

Au'choix 68 (Ecouter C)
Music from different countries and instruments to identify.

1 C'est quel pays?
1 [Espagne] 2 [Allemagne] 3 [Inde] 4 [Japon]
5 [Afrique] 6 [France]

2 C'est quel instrument?
1 [la flûte] 2 [la trompette] 3 [le piano]
4 [le saxo] 5 [la batterie]
6 [la guitare électrique]

Au choix 69 (Ecouter C) (AT1/7)
La Marseillaise to listen to and sing. Pupils can compare it with other national songs and have a go at writing a song for Europe.

■ See Au choix 69 for script.

Au choix 70 (Parler C) (AT2/5–7)
Guided speaking about 'yesterday' and 'tomorrow', plus free speaking about tomorrow.

Au choix 71 (Parler C) (AT2/5–7)
Guided and free speaking about 'last week'.

Au choix 72 (Lire C)
1 Matching short descriptive texts to festivals. (AT3/4)
2 Pupils write about their own festivals. (AT4/4–5)

Au choix 73 (Lire C) (AT3/6, AT4/5–7)
Pupils give their opinion on a text about stress, and write their own piece of advice.

Module 5

Au choix 74 (Ecouter A) (AT1/4)
Descriptions of bikes with a grid to fill in.

C'est le vélo de qui? Remplis la grille et devine.
– Quelle sorte de vélo as-tu, Yann?
– Un vélo de tourisme, vieux, abîmé. Il n'a plus beaucoup de peinture. C'est tout juste si on aperçoit un peu de rouge.
– Et toi, Céline, c'est quoi ton vélo?
– Moi, j'ai un VTT. Il est super! J'ai un bidon et une sacoche.

– Et toi, Aurélie, ton vélo?
– Moi, je n'ai pas de vélo. J'emprunte celui de ma soeur quand il m'en faut un.
– Et ton vélo, Elisa, il est comment?
– Moi, j'ai un vélo de course. Il est génial! J'ai un bidon, pour boire quand j'ai soif. Il est noir, avec 10 vitesses.
– Quelle sorte de vélo as-tu, Antoine?
– C'est un vélo de course, tout neuf. Il est bleu, avec une sacoche et 5 vitesses.
– Et Claude, ton vélo, il est comment?
– Ben moi, mon vélo, c'est un VTT. Il a douze vitesses et une grande sacoche.

Au choix 75 (Ecouter A) (AT1/6)
The highway code: matching signs to the descriptions and listening to check.

Le code de la route
2 Ecoute et vérifie.
– Le numéro un: ici, on ne peut pas tourner à gauche.
– T'es sûr?
– Oui, bien sûr ... et le numéro deux: on ne peut pas rouler à plus de 50km à l'heure.
– Ouais.
– Le trois ... euh ... j'sais pas.
– Le quatre, c'est ... on ne peut pas entrer.
– Fais voir. Non, ce n'est pas ça: on ne peut pas stationner ici. Et le trois, c'est interdiction de s'arrêter.
– Et le cinq? On ne peut pas jouer de la trompette?
– Dis donc! On ne peut pas utiliser le claxon. Signaux sonores interdits. T'est fou, toi!
– Six: pas de camions. Sept: piétons, passage pour piétons.
– Huit: une direction ... euh ...
– Sens unique, tu veux dire! Qui est stupide maintenant?
– Neuf, pas de dépassement ... et ici, dix, on peut acheter des lozanges jaunes: enfin, route prioritaire.
– Onze, c'est une interdiction ... aux voitures et motos?
– A tous les véhicules. Douze, on peut doubler ... fin d'interdiction de dépasser ... et treize ...
– Le voilà. Euh ... la route vire à gauche.
– A droite, idiot!
– Oh, je ne sais pas ... oui, à droite.
– Quatorze: c'est une piste pour les cyclistes, et quinze ...
– Arrêt au carrefour. Seize: défense d'entrer.
– Dix-sept: piste pour les cyclistes ... euh ... quelle différence y a-t-il entre le dix-sept et le quatorze?
– J'sais pas. Et le dix-huit?
– Il va pleuvoir. C'est quelqu'un qui ouvre un parapluie. Voilà, c'est fini!

Au choix 76 (Parler A) (AT2/3–4)
Choosing a topic and carrying out a survey, recording the results.

Au choix 77 (Parler A) (AT2/5–6)
Using a map, pupils discuss and decide on a route for a cycle ride, then record a description of it.

Au choix 78 (Lire A)
1 Puzzle pictures of parts of the bike to label. (AT3/1)

2 'True/false' questions on a text about Chris Boardman. (AT3/4)

Au choix 79 (Lire A) (AT3/5)
The history of the bicycle: 1 Matching texts to pictures and 2 'true/false' questions.

Au choix 80 (Ecouter B) (AT1/4)
People talking on the phone about their holiday: pupils 1 note the details on a grid and 2 identify the pictures.

1 Ils arrivent quand?
1 C'est moi, Ludovic ... oui, oui, toujours à Rome. Ecoute, j'arrive le 13 juin ... Oui, le 13 ... Ouais ... euh ... attends, uhm ... voyons, 14.47h. Oui, c'est ça: 14.47h. Bon. ... Oui, oui, oui, fantastique, chaud. ... Ah oui, très chaud. J'ai pris beaucoup de photos.
2 Mireille ... oui, c'est moi. Ecoute ... oui, Paris ... le 17 juin. ... Le 17. ... A quelle heure? Euh ... 18.52h. ... Oui, c'est ça, 18.52h. ... Oh, c'était très bien, ensoleillé ... J'ai fait du shopping.
3 C'est moi, Arsène. Oui, je suis toujours à Lyon. Lyon, oui ... Le 14 juin ... le 14 juin ... A quelle heure? Uhm ... 17.49h. 17.49h. ... Oui? ... Uhm, pas formidable, hein? Pluie ... J'ai joué au tennis.
4 Maman, c'est moi, Françoise ... Oui, oui, Grenoble ... Oui, je pars le 11 juin ... le 11 juin ... l'après-midi à trois heures et demie ... trois heures et demie ... Ah oui, oui, super. On a même fait du ski. ... Oui, ski d'été, sur le glacier, aux Deux Alpes.
5 C'est Thomas ... Oui, à Nice, Nice ... Je rentre le 16 juin, le 16 juin ... Au soir, à 19.58h, je crois ... Oui, 19.58h. ... Ah non, un peu ennuyeux ... chaud. J'ai nagé et fait de la plongée.

Au choix 81 (Ecouter B) (AT1/6)
Pupils follow instructions for a video game to arrive at the finishing position.

1 Ecoute et trace les parcours expliqués sur les plans.
Commence avec le bateau A. Il va à gauche, jusqu'à B, puis traverse le détroit vers C, va à droite vers D, et retraverse le détroit.
Puis, on sort le bateau B. Il va à droite, vers A, traverse le détroit et va vers D, retraverse le détroit et s'arrête à côté de A.
Sors le bateau C en direction de D, puis prends la direction de B. (Là, on est en position numéro 1.)
On continue ... B reprend son voyage, part à gauche, traverse le détroit, continue vers D et s'arrête à côté de C. A se rapproche de C, puis repart en suivant le même parcours que B et s'arrête à côté de B. (Là, on est en position 2.)
Maintenant, B peut aller chercher notre petit homme sur son île et le ramener vers le continent, et A peut suivre B et faire un pont entre B et le continent pour ramener le petit homme qui est sauvé.

Au choix 82 (Parler B) (AT2/4–6)
Using the imagination to finish telling a story.

Au choix 83 (Parler B) (AT2/5–6)
Preparing and recording a weather forecast, with maps as cues.

Au choix 84 (Lire B)
1 Matching texts about accidents to pictures. (AT3/3)
2 Reading a report and labelling a picture. (AT3/5)

Au choix 85 (Lire B)
A report about a proposed bridge: 1 'true/false' questions (AT3/6) 2 pupils correct the false statements 3 they give their own opinion. (AT4/3–4)

Au choix 86 (Ecouter C) (AT1/4–5, AT4/3–4)
1, 2 & 3 Completing weather maps and deducing what would be appropriate clothing in view of the weather.

La Météo
1 Ecoute et remplis les cartes.
Le temps pour aujourd'hui:
Dans le nord de la France, pluie et vent léger venant de l'ouest.
Centre: la journée sera ensoleillée.
Côte d'Azur: le temps sera très ensoleillé, tendance orageuse vers le milieu de l'après-midi.
Sur les Alpes: le temps sera chaud et sec.
Pyrénées: le temps sera également chaud, avec une tendance à la pluie dans l'après-midi.
Temps prévu pour ce soir:
Nord: le temps sera nuageux.
Centre: quelques nappes de brouillard.
Sur la Côte d'Azur: temps nuageux, nombreuses chutes de pluie, attention au risque d'inondations.
Sur les Alpes: des orages.
Pyrénées: un vent frais venant de l'ouest soufflera en soirée, amenant quelques nuages.
Prévisions pour le journée de demain:
Nord: après la disparition des brumes matinales, le temps sera chaud et ensoleillé.
Centre: temps couvert.
Côte d'Azur: temps chaud et ensoleillé.
Alpes: abondantes chutes de neige.
Pyrénées: des pluies en cours de journée.

Au choix 87 (Ecouter C) (AT1/6–7)
Deciding what to buy for a picnic for a given group of people.

On va à la piscine. C'est à toi de préparer le pique-nique.
Bon, nous sommes combien? Avec Andrew et Susan, cinq ... six. Est-ce que tu pourrais nous préparer le pique-nique demain? Nous devons aller au collège. Nous avons un contrôle de maths le matin, c'est pas intéressant pour vous, et on finit à midi. On a toujours très faim, tu sais, après le collège ... mais il faut partir tout de suite après, alors on mangera quand on arrivera à la piscine ... ou après avoir nagé un peu. Ce temps est vraiment formidable: on va avoir soif. On peut acheter des boissons là-bas, mais c'est très cher, il vaut mieux en acheter ici au Super Choix et les emporter ... Oui? Alors, super! Tu peux acheter du pain à la boulangerie, et le reste au Super Choix ...
Un pain pour deux personnes, alors, euh, trois pains ... Qu'est-ce qu'il nous faut d'autre? ... Jean-Paul, attention, il est végétarien – ça veut dire qu'il ne mange pas de viande, mais je crois qu'il mange du fromage, euh, ou du poisson ... et Mélissa, elle

est diabétique et ne mange rien de sucré ... La viande? Oui, oui, elle mange de la viande. Ce n'est que les choses comme les biscuits, les choses sucrées. ... Oui, des fruits, bonne idée, elle mange des fruits. Oui, des pêches, quelque chose comme ça ...

Marc? Lui, il mange de tout, absolument de tout, même les restes ... Du gâteau? Ah, je pense pas. Peut-être une tarte, mais il va faire très chaud: rien qui fonde, pas de chocolat, par exemple ... Oui, pour les boissons j'ai un sac qui les conserve fraîches ... oui, on pourrait y mettre du chocolat, mais je ne pense pas, ce n'est pas grand. Il y a de la place seulement pour les boissons.

Et Susan, qu'est-ce qu'elle mange? Elle fait un régime, mais j'ai vu qu'elle a mangé du gâteau au chocolat hier soir chez Martine ... Si tu penses, de la salade, du yaourt, peut-être. Et toi? Tu manges de tout? ... Oui, comme moi, mais pas de salami, je déteste ça! Bon, je vais te laisser de l'argent et toi, tu vas t'occuper du pique-nique ... Super!

Au choix 88 (Parler C) (AT2/4)
A mapped dialogue to practise: buying food for a picnic.

Au choix 89 (Parler C) (AT2/5–6)
1 Pupils record a message saying where they want to go, what they are wearing/taking and where and when they will meet.
2 & 3 Talking about the same things in the past and using pictures.

Au choix 90 (Lire C) (AT3/3)
Road signs to match to their explanations.

Au choix 91 (Lire C) (AT3/6)
Pictures to match to a report of an accident.